LA BONNE CUISINE ET LES AUTRES

DU MÊME AUTEUR

AUX MÊMES ÉDITIONS

Les Bons Vins et les Autres
1976
Coll. « Points Actuels », 1984

PIERRE-MARIE DOUTRELANT

LA BONNE CUISINE ET LES AUTRES

ÉDITIONS DU SEUIL
27, rue Jacob, Paris VIe

ISBN 2-02-009258-1.

Préface

Au temps du roi Moabdar, il y avait à Babylone un jeune homme nommé Zadig. Le soir, il ne craignait point de dîner aux meilleures tables de la ville, où il était servi comme les autres avec délicatesse et profusion. Mais il connut bientôt combien les prêtres de la gastronomie sont dangereux. Il s'éleva une grande dispute sur une loi de Zoromillau, l'archimage de la nouvelle cuisine, qui ordonnait de manger désormais les pigeons cuits rose à l'arête. *« Comment obéir à cet ordre,* disaient les uns, *puisque les pigeons n'ont pas d'arêtes ? — Il faut bien qu'ils en aient,* disaient les autres, *si Zoromillau commande de les manger ainsi. »* Zadig voulut les accorder, en leur disant : *« Si les pigeons ont des arêtes, mangeons-les roses ; s'ils n'en ont point, mangeons-les de même, et par là nous obéirons tous à Zoromillau. »*

Un chroniqueur gastronomique, qui avait composé treize volumes sur les arêtes de pigeon, se hâta d'aller accuser Zadig devant l'archimage, qui était le plus imbu des gourmets et partant le plus fanatique. *« Eh bien !* dit Zoromillau, *il faut empaler Zadig pour avoir mal pensé des pigeons. »*

Par la sagesse du roi Moabdar, personne ne fut empalé ; de quoi plusieurs cuisiniers murmurèrent. Zadig s'écria : *« A quoi tient le bonheur ! »* Il maudit les prêtres de la gastronomie et ne voulut plus vivre qu'en bonne compagnie. Ni le choix de ses amis ni celui de ses mets n'étaient faits par la vanité : car en tout il préférait l'être au paraître.

P.c.c. : Voltaire

Adieu bistrot, on t'aimait bien

Quel est le plus grand chef de France ? J'imagine les joyeuses polémiques. *« C'est Bocuse »,* affirmera un sexologue. Et il alléguera que, selon un sondage, soixante-neuf pour cent des ménagères de plus de quarante-neuf ans d'Oklahoma City rêveraient de faire l'amour avec le grand Paul. Histoire de lui arracher la fameuse recette de la soupe aux truffes. *« Qui ? Bocuse ? Le goujat qui se montre enceint d'une cuisinière à gaz dans la publicité télévisée ?* s'indignera une féministe. *Moi je choisis Guérard. Il est chou. Avec sa cuisine minceur, il nous gâte en nous faisant maigrir. »* Le notaire de Lamotte-Beuvron, qui passait par là, séparera les susdits : *« J'opterai pour Robuchon, le chef du Jamin. J'ai la faiblesse de penser qu'il n'y a qu'un ancien séminariste comme lui pour servir rosé à cœur un rognon de veau, cuit à l'étouffée dans sa graisse. La bonne chère est acte de religion. »* D'autres zélateurs interviendront. L'un soutiendra que le plus grand chef est Senderens, car, tel un moine de la nouvelle Thèbes, penché sur ses casseroles, il feint de réciter des vers grecs pour alléger ses sauces. L'autre jurera que ce sont les Troisgros parce qu'ils se mettent à deux pour cuisiner les plats. Un troisième s'écriera que Chapel... les bons jours, lorsqu'il ne se prend pas pour une cathédrale. Un quatrième que Loiseau ou Bardet... tant qu'ils courront après leur troisième étoile au guide Michelin. Grave question : quel est le plus grand chef de France ? En vérité je vous le dis : c'est M. Casino.

Vous ne le connaissez pas ? Pourtant il vous arrive sans doute de manger chez lui. Sous des enseignes populaires, M. Casino usine quarante millions de repas par an. Mille fois plus que Bocuse. Casino, c'est tout à la fois Quick (le fast-food à hamburger), une centaine de cafétérias, les Hippopotamus (des restaurants de viande), des pizzerias, des pâtisseries. Casino, le groupe de distribution, basé à Saint-Étienne, est aussi le géant de la restauration française. D'où une question inattendue : et si l'avenir de la cuisine passait par Saint-Étienne, par cette ville-chaudron, encore noire de suie, toute rouillée de faillites ? Car à Saint-Étienne travaille aussi Pierre Gagnaire, sans doute le plus talentueux des jeunes chefs fous. L'étoile montante au firmament des guides gastronomiques avec ses dîners en feu d'artifice : du genre salmis de canard gras à la menthe poivrée avec confiture d'oignons (petits) et gratin de pamplemousse (rosé) au muscat des côtes du Rhône. A Saint-Étienne, les extrêmes se rejoignent : Gagnaire l'artiste invente des salades rigolotes que Casino fabrique et distribue de façon industrielle. Par exemple, un émincé de pintade et de carottes confit au miel. L'émincé ne vaut qu'une dizaine de francs la portion dans les cafétérias, quand, chez lui, Gagnaire vend cent francs le moindre hors-d'œuvre. Ainsi marcherait demain la restauration française. De Charybde en Scylla ? Ce serait de deux choses l'une : Gagnaire ou la cafétéria à l'américaine. Bocuse ou le fast-food. Demain nous n'aurions plus le choix qu'entre deux catégories de restaurants : les tables royales à plus de cinq cents francs et les cantines à moins de cinquante balles. Il me faut expliquer maintenant par quel processus la France, mère de toutes les gourmandises, risque d'en être réduite à ces maigres extrémités.

Qu'est-ce qui constituait la substantifique moelle de notre gastronomie ? Plus que les très grands restaurants, les Bocuse, les Guérard, c'étaient ces dizaines de milliers de bistrots et auberges modestes qui forment l'ossature d'un grand pays gourmand. C'était la toile d'araignée des caboulots parisiens, où le cuistot ne réussissait que trois plats de cuisine ménagère, toujours les mêmes, mais alors de quelle manière ! C'étaient, tels les grains d'un chapelet païen, au bord des routes, à l'ombre des clochers de la France tranquille, l'auberge Au Bœuf couronné, le Restaurant du commerce, l'Hôtellerie du cheval blanc, le Relais des chasseurs. Toutes ces succursales de la bonne table franchouillarde, fumantes telle une choucroute alsacienne, bruyantes comme un cassoulet occitan, requinquantes tel un gras-double à la lyonnaise. Aujourd'hui, la formidable armée se désagrège. Attaquée de toutes parts, cernée par les sybarites du hamburger, les zélotes du pistil de safran, les incorruptibles du fisc, les toqués du Gault et Millau, les monomaniaques de la Californie, perfide coalition dont les méfaits s'ajoutent aux conséquences de la crise économique. Chaque année, plusieurs milliers de restaurateurs à l'ancienne boivent le bouillon.

B., par exemple. Il tenait un chouette bistrot derrière la gare Montparnasse à Paris. Les ouailles de B. célébraient son pot-au-feu gargantuesque, sa blanquette onctueuse, son cahors framboisé, le beau cul de Georgette la serveuse, les rideaux rouges et les nappes maternelles de Lulu la patronne. Pour une addition de cent francs, c'était le pied sous la table, les yeux dans la chopine, bref la France plantureuse qu'on rêvait éternelle. Mais B. a laissé la place à une cantine vietnamienne. Il était devenu trop cher ou pas assez. Il ne figurait plus dans les guides ; il servait une cuisine trop rurale pour l'œsophage précieux de ces délicats de Gault et Millau. Ne restaient que les contrôleurs du fisc à lui filer le train, toujours à fourrer leurs doigts dans ses sauces et à éplucher ses comptes.

Car, si B. régalait pour pas cher sa clientèle de dévots, c'est qu'il trichotait sur les taxes. Achetait la marchandise sans la saler de TVA, payait la Georgette de la main à la main et d'une tape sur les fesses. Les agents de l'État ont mis bon ordre dans sa tambouille familiale. Depuis leur inspection, B. jurait que le métier était fichu, sauf à travailler à la vietnamienne, en cercle secret et fermé : *« Auparavant, sur un franc de recette,* expliquait B., *il y avait trente-trois centimes pour l'achat des denrées, un autre tiers pour les frais et les taxes, donc le dernier tiers pour la poche du patron. Aujourd'hui, pour un franc de recettes, c'est vingt-cinq centimes seulement de marchandises, mais soixante-cinq pour les frais et les taxes, donc moins de dix (avant impôt) pour le cuisinier. »* La restauration souffre d'être une activité consommatrice de main-d'œuvre. Elle est soumise aux charges grandissantes qui frappent celle-ci. Le cuisinier se retrouve coincé entre la Sécurité sociale et le fisc. Position inconfortable qui provoque la chute des bistrotiers à l'ancienne ; et avec eux (hélas !) de la cuisine de bonne femme, des plats bourgeois —

haricot de mouton, daube, bourguignon — chers à nos papilles et qu'ils étaient les derniers à faire. Bref, prise dans un étau, la cuisine française, la vraie, la populaire, l'enracinée, fout le camp. Requiem pour une blanquette.

Pourquoi en porter le deuil, ricaneront certains ? Et parmi eux, au premier rang, la tribu des chroniqueurs gastronomiques — des gourmands salariés —, qui pour la plupart se trompent de croisade. Se fichent des bistrots et du terroir, ne pensent qu'à maigrir en poussant la nouvelle bouffe, kiwi, chichi et patchouli, jolie comme des chiures de mouche psychédéliques. La blanquette est morte, vive la nouvelle cuisine ! Parlons-en, justement, de celle-ci et des restaurants étoilés, des Bocuse, des Guérard et de tous les marmitons de France et de Navarre qui se voient aussi gros qu'eux. A y regarder de près, le secteur de la petite bouffe à la mode ne se porte guère mieux que la restauration de bistrot. J'en veux pour preuve l'aventure de L.

« Aujourd'hui, quand un chef veut se distinguer des autres, il achète de plus grandes assiettes », dit celui-ci. L. sait de quoi il parle. Il tenait une table réputée en Normandie. Des circonstances familiales l'obligèrent à monter à Paris. Il rêvait d'y ouvrir une simple et bonne maison. La coterie des chroniqueurs lui fit vite comprendre que, dans la capitale, il devait voir grand, s'il tenait à retrouver les palmes qu'il avait méritées en province. Que le décor comptait autant que la nourriture dans le succès d'un restaurant. Il lui fallait donc des sièges Louis Singe, de l'argenterie, du cristal plein les tables, des assiettes de trente centimètres, tout un attirail superflu mais que les guides — et même l'Auvergnat Michelin — s'obstinent à tenir pour plus important que la taille des portions servies. L. investit quatre cents millions de centimes pour s'installer. Telle est la somme moyenne atteinte par les jeunes chefs un peu ambitieux. Et les plus fous d'entre eux vont même aujourd'hui jusqu'à vingt millions de francs. L. a vite retrouvé ses distinctions gastronomiques. Mais il s'emporte et dit que *« la grande restauration française marche sur la tête ».*

Le chef étale ses comptes et ils sont sidérants. Lisez bien ceci : quand un client pousse la porte du restaurant de L., il en a obligatoirement pour cent quatre-vingts francs d'addition...

avant même qu'il ne se soit assis. Avec cette somme, L. remboursera ses emprunts, son baccarat, ses faïences, en un mot le prix du luxe. Il paiera son personnel, ses charges et impôts. Aux cent quatre-vingts francs « obligatoires » s'ajoutera le coût d'achat de la nourriture servie, soit à peine une centaine de francs. Plus le bénéfice du patron. Et l'on arrive à ce résultat incroyable : *« Si un client s'en sort à moins de trois cent vingt francs par tête, j'y suis de ma poche »,* explique L. Dès lors, à lui de se débrouiller pour que l'addition dépasse le seuil fatidique. Et comment ? En tirant sur les mêmes ficelles que la plupart des chefs de France et de Navarre, ces précieux ridicules qui ne daignent plus cuisiner que dans l'or et l'argent.

L. travaille les produits chers, ceux qui alourdissent la douloureuse : saumon, rouget, caviar, foie gras, filet de bœuf, noisettes d'agneau. A déconseiller, en revanche, les légumes. Leur préparation réclame trop de main-d'œuvre. Ils sont d'un petit rapport sauf à les accompagner de quelques ingrédients snobinards, qui en relèvent le prix plus que le goût. Je cite : carottes au jus de truffes, asperges à la royale de homard, sabayon de brocolis à la vapeur des... garrigues. Le meilleur attrape-gogo est cependant le menu-dégustation, dont la mode précieuse s'impose. Cinq plats pour cinq cents francs. Mode « précieuse » parce que cinq fois quelques grammes pèsent moins lourd en marchandise que deux vrais plats. Parce que le chef sert ce qui est pour lui du meilleur rapport : marinière de coquillages à la gelée d'ingénu, étuvée de ris de veau au coulis de jobard. Ainsi, par ces trucs, l'addition atteint-elle le seuil minimum de trois cents, quatre cents francs, en dessous duquel le cuisinier perdrait de l'argent. *« Ce n'est plus le chef qui est aux fourneaux, c'est le comptable. Nous faisons du marketing »,* conclut L. D'autres diraient : nous faisons de la nouvelle cuisine.

Étonnez-vous que celle-ci triomphe aujourd'hui jusqu'à Lamotte-Beuvron ! C'est qu'elle est un aimable racket : les portions diminuent quand les assiettes s'élargissent ; les additions s'alourdissent sous prétexte d'alléger les sauces. Étonnez-vous de ne plus trouver d'œuf en meurette, de petit salé aux lentilles ou de poulet vallée d'Auge, ces grands plats du terroir, sur la carte parcheminée des tables étoilées ! Pardi, ils ne coûtent pas assez cher ! Le chef a l'œil rivé sur la ligne rouge de l'addition. Pour la dépasser, tout est bon, à commencer par la sélection des vins. Inintéressants, à proscrire, les petits crus, les champigny fruités, les gaillards madiran ou les mâcons friands, les vins à cinquante balles. Vous n'avez plus droit qu'à ces châteaux médoc bouffis de suffisance, qu'à ces pommards roublards. Deux cents, trois cents francs la bouteille, plus quinze pour cent de service, pour des vins de toute façon vendus trop jeunes pour être bons à boire. Le restaurateur multiplie par trois le prix auquel il a acheté le vin, donc, plus celui-ci est cher à la propriété, davantage le cuisinier empoche... Un chef à trois étoiles de la région lyonnaise tire ainsi quarante-six pour cent de ses recettes de la vente des vins. Il n'a eu qu'à les faire déboucher. Étonnez-vous alors qu'il n'y ait plus de " grands " établissements sans deux ou trois sommeliers se pavanant en salle, raides et convoiteurs tels des huissiers. C'est qu'ils poussent à la consommation. Ils font boire en traîtres. Voici le détail d'une addition payée par quatre Américains dans un fameux restaurant parisien. Total : 13 722 francs dont 10 500 pour les vins, trois bouteilles de château-margaux 1953.

Par bonheur, le système a sa faille qui le conduit doucement à l'asphyxie. Comme les médias ont sacré rois les grands chefs, ceux-ci ont fait des foules de disciples. On ne compte plus les petits de Bocuse, les bâtards de Troisgros, les mignons de Guérard. Il y en a un dans chaque chef-lieu d'arrondissement. Sitôt installés à leur compte, les élèves se sont crus plus géniaux que leurs maîtres, flattés qu'ils furent par les compliments de Gault et Millau, lesquels, de découverte de jeune chef en découverte de jeune chef, cherchaient à faire événement pour vendre leur guide et leur journal. Aujourd'hui, tous ces petits encombrent le marché de la restauration de luxe, lequel au même moment se rétrécit sous l'effet de la crise économique. Bref, platement dit : sur le marché de la grande cuisine, l'offre excède la demande. Il y a trop de tables chèrement galonnées et pas assez de cochons de payants. La crise ne frappe pas que les bistrots à papa. Les petits chefs aussi dégustent et ferment boutique. Et les plus grands s'en tirent parce qu'ils cuisinent au gramme. *« Fini l'âge d'or de la restauration ! Nous n'avons plus les moyens de vivre comme des seigneurs »,* analyse Jean-Claude Vrinat, propriétaire de Taillevent, à Paris, un des fleurons de la table française. Vrinat donne un chiffre frappant. Celui du coût en matériel d'une seule table dans son restaurant. Devinez combien ? Pour ce qui est sur la table et autour : couverts, assiettes, pots de fleurs, fauteuils ? Cinq millions de centimes, pour une seule table.

Vrinat, Bocuse, Guérard, Troisgros, Blanc, Halberlin et quelques autres : seuls, les très grands chefs traversent l'orage sans se mouiller. Parce qu'ils gagnent deux fois plus d'argent audehors que chez eux, à mettre leurs noms sur des cuisinières ou des saucissons. Parce que leur réputation bien assise leur permet de rouler sur la clientèle étrangère. Hors les périodes marquées par des vagues d'attentats terroristes, leurs salles regorgent d'Américains. Quand le dollar sauve la soupe aux truffes... Et si ce n'est Reagan, ce seront les sponsors. En effet, la course au restaurant le plus raffiné, doublée d'une compétition pour le palace-hôtel le plus oriental, est devenue si coûteuse que le dernier recours pour les plus kamikazes des chefs est de se faire parrainer comme des hommes-sandwiches.

Ainsi l'illustrissime Senderens, qui jugeait son génie à l'étroit dans le cadre laqué de l'Archestrate, à Paris. Il s'est fait installer dans les boiseries seigneuriales du vieux Lucas-Carton par un nabab du cognac, Rémy Martin. Ainsi le vaillant Boyer à Reims. Le champagne Pommery lui a aménagé un château-hôtel princier, ancienne propriété des Polignac, au milieu d'un parc centenaire de sept hectares. Plus de deux milliards de centimes d'investissement, hors murs ! Cinq cents francs le repas ; mille francs la chambre d'amour. L'affaire marche du feu de Dieu. Elle a reçu quatre-vingt mille clients en deux ans. Gérard Boyer cuisine-t-il mieux dans son petit Versailles que dans son ancienne auberge ? Aussi bien. Mais il vend en plus *« de l'emballage, du rêve »* aux mille et une nuits. *« Il n'y a que le grand luxe qui marche. »* Du moins tant qu'il y aura assez de fats pour croire qu'un ravioli de rouget servi sous une cloche d'argent vaut trois fois le prix du même rouget posé sur une assiette blanche.

Où l'on revient à notre préambule : demain, plus de juste

milieu. Nous n'aurons plus le choix qu'entre la cantine ou la table royale. *« Le Français se nourrira le midi au fast-food. Le soir où il sera de cinéma, il se restaurera vite fait à l'Hippopotamus ou au Bistrot romain. Il fêtera son anniversaire chez un petit chef à la mode. Et, une fois dans sa vie, pour ses noces d'or, il s'offrira Bocuse. »* Ainsi parle M. Casino, *alias* Georges Plassat. Parole d'évangile, puisque Plassat, rappelons-le, est le plus grand chef de France en tant que directeur de la restauration chez Casino, premier cuisinier de France par le nombre de repas servis. Le deuxième restaurateur en taille est Auchan, un autre géant de la distribution, qui exploite les cafétérias Flunch. En troisième lieu arrive le roi de l'hôtellerie, Accor-Novotel, avec les enseignes Courtepaille, Bun and Burger, l'Arche, Pizza del Arte. Nos ventres sont entre de riches mains. Relevant l'armée en déroute des bistrots, le grand business prend peu à peu en charge la restauration quotidienne. Géré au centime près, il est d'une efficacité cent fois supérieure. Les cinquante premières chaînes servent déjà douze pour cent des repas pris au restaurant. Elles poursuivent des objectifs fracassants : trente-cinq pour cent de croissance par an jusqu'en 1999. Leur expansion se fait autour de trois axes militaires : le fast-food, la cafétéria et le restaurant à thème. Trois lieux, trois prix. Parlons-en, puisque c'est l'" avenir ".

Le fast-food, hamburgers et croissants, la cantine la moins chère, le repas pour vingt francs. Venu des Amériques et inexistant en France jusqu'en 1980, le fast-food sert, cinq ans après, cent cinquante millions de " plateaux ", comme disent ses promoteurs. Et son " cœur de cible " (sa clientèle) s'élargit chaque année jusqu'à frapper aujourd'hui les quinquagénaires. A quand les " papys-burgers " ? Peut-être quand le fast-food se sera francisé : *« C'est en route »,* s'enthousiasme Marc-Philippe Rochet, P-DG de Quick, première société du secteur. En guise de francisation, Quick a lancé le " big-bacon ". Je l'ai goûté. C'était du " patty " (viande hachée), plus du " cheese " (fromage fondu), plus du " bacon ", plus de la sauce au " bacon " mise avec un " gun " (seringue), le tout fourré dans un " bun " (pain) au froment " toasté ". En effet, l'on ne fait pas plus français. *« Il nous a fallu un an pour mettre au point le big-bacon,* commenta Marc-Philippe Rochet. *Il ne suffit pas que le produit soit bon. Il faut le débiter de façon efficace. Le fast-food, c'est de l'industrie !* »

La cafétéria aussi. Suivant la formule du libre-service, elle sert les repas à moins de cinquante francs. Les premières cafétérias ont été ouvertes près des centres commerciaux :

« On a jumelé autour d'un parking les fonctions achat et repas », explique dans son langage conquérant M. Casino, Georges Plassat. Puis la cafétéria est entrée dans la ville, sur la pointe des pieds. La voici trônant désormais en des lieux que l'on croyait sacrés : Flunch aux Halles, sur le ventre de Paris ; Casino à Nice, sur la promenade des Anglais. Plassat définit la juste ambition d'une cafétéria : *« Restaurer clean. Le client ne doit pas regretter l'argent qu'il a déboursé. »*

Enfin, troisième institution d'avenir, les restaurants " à thème " organisés en chaîne sous une enseigne commune, tels les hôtels. Degré suprême de la nouvelle gastronomie qui nous menace. Le grand luxe du vendredi soir après le turbin. Comptez autour de cent francs par couvert. Le thème est un produit : le steack (sous l'enseigne Hippopotamus) ou le poisson (la Criée), le pain (les pizzerias), le pain et le vin (les wine-bars). Le thème peut être aussi un décor : la brasserie à l'ancienne, tel Flo. Ou une clientèle : les femmes à l'Amanguier. Ou l'exotisme : dans les Bistrots de la gare et les Bistrots romains. Ou la musique : au City Rock Café : *« Les restaurants à thème prennent le relais des bistrots de faux luxe avec leurs loufiats pas nets. De même que les Novotel ou les Ibis ont remplacé les hôtels de sous-préfecture »,* prédit Patrick Derdérian, l'inventeur des Amanguier et des Oh !... Poivrier.

Ces derniers endroits où l'on mange sont de sacrées machines. Avec un décor voulu irrésistible : monocolore, vert olive à l'Amanguier, camaïeux de gris dans les Oh !... Poivrier. Avec un langage codé : *« Garçon, un horizon boréal ! »* (En clair, le nom branché pour commander un... saumon fumé avec une salade et un sorbet au citron vert, tout sur la même assiette.) Avec une rotation stakhanoviste des tables : elles tournent jusqu'à six fois par jour. Une organisation industrielle : laboratoire central pour la préparation des terrines et gâteaux... Avec leurs cartes ultra-courtes : quatre entrées, sept plats, quinze desserts. Pourquoi tant de pâtisseries ? Parce que c'est le produit le plus rentable et industrialisable. Et tant pis si les Français se gavent de sucre comme les cow-boys obèses du Nebraska.

Peu importe le menu dans ces nouveaux restaurants de chic et de choc. (Vous pouvez le deviner.) La ritournelle : magret de canard, cœur d'aloyau, crottin de chèvre, sorbet, gâteau au chocolat, la banalité de tout ce qui est enfantin à préparer : *« On ne peut pas prendre le risque de spéculer sur la maîtrise du cuisinier »,* explique M. Casino. Et les vins ? Les mêmes partout, plutôt bons d'ailleurs : le beaujolais de Dubœuf, le bordeaux de Coste. Bof ! A en croire les promoteurs de la restauration nouvelle, le client viendrait chez eux moins pour manger que pour se distraire. L'important serait l'ambiance. Par exemple l' " hippoclimat " dans un Hippopotamus, climat créé par des *« hippohôtesses, visages de proues, ambassadrices de charme »,* et des *« hipposerveuses, uniforme seyant, visage avenant »,* avec des "hippoclowns " et des " hippobars " qui se chargent des files d'attente longues comme une heure. *« Un bon client,* confie Christian Guignard, l'hippopatron, *est un client qui s'est distrait chez nous au point de ne plus se souvenir de ce qu'il a mangé. Je ne crois qu'à la restauration-spectacle, comme aux États-Unis. »*

Ils nous la baillent belle, ces nouveaux prophètes de la bouffe. Avec leur sourire texan et leurs tics de buveur de café. Un peu de patience, charmants jeunes hommes ! Peut-être avions-nous tort, les soirs de bombance, de croire qu'il fallait vivre pour manger. Mais de là à prêcher qu'il ne faut plus manger pour vivre mais pour s'amuser vite fait, à la chaîne que je te pousse, au suivant ! Nous nous poilions aussi dans le bistrot du père B., avec la Georgette qui n'avait pas que ses charmes à montrer mais d'abord le miroton qu'elle mettait dans l'assiette.

Adieu aux bistrots de nos chavirantes gourmandises ? Il reste quelques provinces épargnées par les Attila du prêt-à-manger. Le Sud-Ouest, parce qu'on y est fidèle et fier comme d'Artagnan. Les Marches du Rhin parce qu'il n'y a pas plus enraciné qu'un Alsacien. Lyon, parce que sur un coup de beaujolais un Big-Mac ne vaut pas un tablier de sapeur. Mais ailleurs, c'est partout le désert sans tartare. Sur la côte, de Dunkerque à Menton, pour les vacanciers, toute l'abomination de la restauration vénale. Le Nord n'a plus la frite. La Normandie n'ose plus mettre du beurre dans sa crème. A Marseille, les chefs portent le flingue et le borsalino. Nous ferons plus loin notre petit tour de France.

Adieu aux " gais caboulots " de la chanson ? Bientôt nous mangerons tous comme des Américains. Avec une strip-teaseuse sur une balançoire au-dessus de nos steaks ? Puisque la chose existe déjà à Dallas, gastro-modèle impitoyable... Qui dira jamais tout le mal que les Ewing, héros télégéniques d'immortelle mémoire, ont fait à la cuisine ? Les avez-vous bien observés, ces Atrides ? Ils n'arrêtent pas de boire et de manger, quand ils ne se dévorent pas entre eux. Mais une fois, une seule fois, les avez-vous entendus dire : *« Hum, c'est bon ! »* ?

INTERLUDE

Mon premier cuisine à l'eau,
Mon second ne fait plus son beurre,
Mon troisième vend ses salades au gramme,
Mon tout est une crise de foi.

Où l'on s'aperçoit à écouter trois chefs,
jeunes et célèbres, que décidément la gastronomie
n'est plus ce qu'elle était.

La cuisine à l'huile, c'est plus difficile, mais c'est moins nouveau que la cuisine à...

Qu'est-ce qu'elle a, sa gueule ? Pourquoi lui dit-on souvent : *« Bernard, avec la gueule que t'as, t'es condamné à réussir ? »* Curieuse évolution que celle de la gastronomie puisqu'il faut maintenant avoir une gueule pour briller. Une gueule de quoi ? Une grande gueule comme Bocuse ? Une gueule de surgelé tel Guérard ? Et la gueule de Bernard Loiseau, justement, qu'a-t-elle de si mirifique qu'elle lui vaille le succès ? L'homme n'avait pas trente ans que toute la presse, enragée à le soutenir, annonçait l'avènement du Messie. Avec sa gueule de bon, de brute et d'enfant, Loiseau est le cuisinier à la mode. L'oiseau rare. Ou comment l'on devient un phénix en se faisant passer pour un moineau sans tête.

Bernard Loiseau a-t-il un talent culinaire ? Un jour, la question fut tranchée avec franchise. Loiseau était depuis trois ans en apprentissage chez les Troisgros, le célèbre restaurant de Roanne, quand son père, un ami de la maison, vint s'enquérir des dons de son fils. *« Mon pauvre vieux,* soupira Jean Troisgros, *je me fais archevêque si Bernard devient cuisinier » ;* c'était en 1971. Quatorze ans plus tard, installé à Saulieu, Loiseau a les meilleures notes dans les guides. Et beaucoup le tiennent pour le nouveau Bocuse.

Qu'est-ce qui rapproche l'élève du maître ? C'est au journaliste de répondre plutôt qu'au gourmet. De dire que si Bocuse tape sur les fesses publicitaires d'une Rosières à gaz, pourvu que la photo soit diffusée dans les journaux du monde entier, Loiseau n'hésitera pas pour le même résultat à se faire rôtir tout nu dans le four de ladite cuisinière.

— Quand on me prend le portrait pour un magazine, je bande comme cerf.

— Quand est-ce que ça t'a pris, la maladie de la pub ?

— Tout de suite, chez les Troisgros. J'avais au-dessus de mon lit une double page du journal *Lui,* avec mes patrons en photo, sous le titre énorme : « Les Troisgros ne sont que deux. » Depuis, j'ai compris qu'il n'est de grand cuisinier aujourd'hui que celui qui fait parler de lui. Par exemple on mange mieux chez Pic à Valence que chez Bocuse. Mais aucun journaliste ne le dit. Parce qu'au jeu des médias, Bocuse est le maître.

— Et toi l'élève doué ?

— Ouais, je te sors mon press-book. Il n'y a pas un cuisinier de trente ans dont la presse ait autant parlé. Elle a raison. L'avenir de la gastronomie passe par Saulieu. Je suis le Cassius Clay de la cuisine française.

Il a l'air sérieux. Il a la tête qu'avait Cassius Clay, Mohammed Ali, pérorant qu'il était le plus grand, le plus beau, le plus fort de tous les boxeurs du monde, ce qu'il fut un moment. Après tout, les journalistes ont si souvent répété à Loiseau qu'il était un aigle qu'il l'est peut-être devenu. Le “ miracle ” eut lieu quand le jeune chef, après son apprentissage difficile chez les Troisgros, s'occupa des Barrières, les restaurants parisiens de Claude Vergé. Sa cuisine, qu'il faisait légère et court vêtue pour suivre la mode, amusa les chroniqueurs gastronomiques, toujours pressés de découvrir un nouveau volatile. Loiseau aime qu'on l'aime : *« La presse me prouvait que je n'étais pas le ringard annoncé par Troisgros. Alors j'ai décidé de montrer à mes potes journalistes toute la cuisine que j'avais dans le ventre. J'ai foncé comme un buffle. »*

Il s'arrêtera à Saulieu où il reprend bravement les marmites d'Alexandre le Grand. D'Alexandre Dumaine, l'un des deux meilleurs chefs, avec Fernand Point, de la génération d'avant-guerre. Dumaine, l'homme qui faisait aligner les Rolls-Royce devant sa cuisine fumante. Quand Jean Troisgros apprendra que Loiseau s'installe à la Côte d'or, aux murs encore bruyants de rots royaux et républicains, il oubliera une nouvelle fois de se taire : *« Bernard n'en fera qu'un bon petit routier. »* Il est vrai qu'à l'époque, Loiseau, de son propre aveu, n'a jamais ouvert un livre de cuisine. Mais il sait une chose capitale : pour réussir dans le métier, il faut deux alliés, la presse et les femmes. Les deux pouvoirs qui font les restaurants à la mode. Alors, se dit Loiseau : qu'est-ce qui peut bien "brancher " à la fois la presse et les femmes, au point de les faire courir jusqu'à Saulieu à deux cent quarante kilomètres de Paris ? Le neuf, le jamais-vu et qui fait maigrir en mangeant, obsession commune aux pouvoirs précités. Donc, dans ce cas, pas la nouvelle cuisine, qui ne nourrit déjà plus que MM. Gault et Millau. Donc une nouvelle cuisine nouvelle : la cuisine à l'eau. La cuisine à l'huile, c'est plus difficile, mais c'est moins nouveau que la cuisine à l'eau.

Loiseau se mit furieusement aux recettes sans crème. Il lia les sauces avec des purées de petits légumes. Releva les mets de discrètes tisanes d'herbes fines et folles. Décréta qu'il fallait rendre leur vrai goût aux produits.

— Halte aux sauces, vive les jus. C'est chez moi à Saulieu que le nouvel art de la cuisine est né. Je vais faire école comme Bocuse en son temps.

— Et ta cuisine à l'eau, est-elle aussi bonne que la cuisine à la crème ?

— Comment ça ? Meilleure.

— Quel est ton plat préféré ? Celui que tu manges le plus volontiers ?

— Les frites.

Curieuse évolution, on le redit, que celle de la gastronomie nouvelle. Les grands chefs ne font pas la cuisine qu'ils aiment. Ils rêvent de cochonnailles quand ils traitent leurs clients au demi-cru. *« Je cuisine à la japonaise »,* dit Loiseau le costaud. Dans le genre, si ce n'est les élucubrations de Senderens au Lucas-Carton, on ne fait pas plus surréaliste, ni plus réussi. *« Ah non, ne parlez pas de Senderens,* coupe Loiseau, *il ose dire que c'est lui qui a inventé la cuisine aux petits jus. Nom de Dieu ! Il faut que ça se sache que c'est moi. »*

Si la chose ne se sait, quelle injustice ! Loiseau n'a reculé devant rien pour plaire aux gazetiers, accourus comme il le voulait à Saulieu. En photo et en quadrichromie, il a fait l'oiseau sur la branche, il a fait l'oiseau dans son nid, il a fait l'oiseau dans sa cage. Il a fait l'âne, t'auras du son. Il ne refuse jamais, il est si gentil, Bernard. Connaît-on un homme plus simple que lui ? Aller l'après-midi à la chasse pour dormir sous un chêne le comble autant que de manger des frites dans le cornet d'un copain. Alors d'une aussi bonne nature comment expliquer la dernière folie ? Loiseau a investi un milliard de centimes et plus dans l'embellissement de son hôtel-restaurant, qui n'était pas si démodé. C'est que les jeunes cuisiniers, après avoir fait leur petit Bocuse, aujourd'hui font tous leur petit Blanc. Les jaloux ! Ils disent que si le guide Michelin a donné trois étoiles à Blanc, le cuisinier de Vonnas, ils disent que c'est parce qu'il a une belle piscine à côté de son restaurant. Et même que *le Figaro-Magazine* a fait huit pages (d'un chic !) sur cette merveille gastro-aquatique. Loiseau et tous les autres jurent que maintenant il faut une piscine, un tennis et un héliport pour réussir une mayonnaise.

L'héritier du roi du beurre blanc abdiquera-t-il ?

La Loire paressait dans son lit, découvrant des blondeurs sablonneuses qui annonçaient l'été. La barque noire du pêcheur tanguait à l'attache. Tout continuait donc. Derrière la porte de l'auberge elle était là, duchesse à la caisse comme depuis trente ans, Madame Mère. Elles étaient là en salle, discrètes et besogneuses, la blonde et la brune, les deux filles très pieuses. Et ça gueulait au fond, en cuisine, entre le fils et le jeune apprenti. Chez Augereau " propriétaire ", grande maison, au bord du fleuve royal, comme à chacune de mes visites, le temps semblait s'être arrêté. Je connaissais la suite : on allait me servir les asperges goûteuses de Longué, le fameux saumon de Loire au non moins célèbre beurre blanc, la poularde de Loué aux petits pois à la française et le sorbet aux fraises de La Ménitré. Je faisais pèlerinage gourmand aux Rosiers, en cet Anjou tranquille et patelin où les choses ont fièrement le goût de ce qu'elles étaient. Mais cette fois manquait Albert, le roi paillard du beurre blanc, Albert, le père Augereau, mort en hiver.

« Je cuisine comme Papa me l'a appris. Rien n'est changé », s'empressa Michel, presque gêné et tripatouillant le cordon de son tablier. " Papa " était un monument qui valait le détour : gueulard, cogneur, roublard, hâbleur, bref, le meilleur, car d'une fidélité en amitié et en gastronomie que rien, jamais, n'entama. Albert Augereau, c'était Moïse sauvé de la Loire, brandissant les dix commandements d'Escoffier devant les petits sauteurs poudrés de la nouvelle cuisine. Le roi Albert avait le meilleur poisson pêché dans ci-devant son beau fleuve. Il travaillait les plus tendres légumes cueillis dans ci-derrière son vert jardin. Il connaissait le secret de la rillette, de la sauce

matelote et surtout du crémeux, du religieux beurre blanc, qui fait accourir les rois et trouble jusqu'aux sœurs de l'Immaculée Conception. Alors merde ! jurait Albert, et même nom de Dieu ! Que tous les freluquets cessent de postillonner sur la carte de sa maison. La même elle était depuis quarante ans, la même elle resterait, la même son fils continuerait : *« Je cuisine comme Papa me l'a appris,* rusa Michel, avant de confesser dans un souffle : *mais je me pose des questions. Est-il bien raisonnable de ne pas innover ? Enfin, vous comprenez. Certains me disent que si ; d'autres, que non. Mes sœurs, que oui ; ma mère, que jamais. La presse est gourmande de nouveautés. Même le journal local,* le Courrier de l'Ouest, *me boude. Enfin, vous comprenez, je me demande si moi aussi je ne vais pas abandonner la grande cuisine classique pour faire l'émincé de saint-jacques mariné à l'huile d'olive. » « Tu quoque, fili ! »* J'entends le père Albert rugir du fond de la Loire, où son âme pécheresse doit suivre une sirène.

« Changer ? » s'interrogeait le fils. A peine étais-je arrivé aux Rosiers qu'il me tirait dans la cuisine voir la pêche du matin : six saumons et huit sandres encore frétillants et pris en face dans le fleuve. *« Je suis le seul à en avoir d'aussi beaux. »* Comme son père avant lui, Michel s'est acoquiné avec des pêcheurs. *« Il suffit de savoir comment les payer »,* confia-t-il furtif. Alors pourquoi changer ? Pourquoi abandonner la spécialité, devenue rarissime, du poisson de rivière ? Pourquoi adopter en Anjou la cuisine volapük et la lotte congelée au coulis de kiwi ? Changer quand la Loire redevient poissonneuse ? Quand le saumon remonte, quand le sandre prolifère, quand le brochet se tient et que l'anguille prospère ? Innover ? Quand le fleuve royal, enfin dépollué, retrouve sa clarté ? Quand ici le saumon est plus moelleux qu'ailleurs, le sandre plus feuilleté, le brochet plus musclé, et l'anguille plus grasse ? Quand le poisson de Loire a un goût d'herbes et d'algues à nul autre pareil ? Lorsque vous le touchez, sortant de l'eau, vos mains sentent ce que vous allez manger. Changer quand justement l'art dans le pays est de marier les petits légumes et les poissons de rivière ?

« Changer ? » s'interrogeait le fils d'Albert. Abandonner l'oseille pour le basilic ? Le petit pois pour l'embeurrée de mangues des îles Maldives ? A peine étais-je assis que ces demoi-

selles Augereau me montraient, comme Jésus en ciboire, les premières asperges, les oignons grelots, les navets nouveaux, les petits pois de la première rosée et les fraises du potager. Truquer ? Quand, à une brouettée du restaurant, le long du fleuve royal, s'étend le plus doux des jardins de la France ? Quand poussent ici les asperges " d'une nuit ", qui n'ont pas vu midi, et si tendres qu'on les grignote jusqu'au trognon ? Quand la production horticole est d'un goût si fin parce que venue en bonne terre et n'ayant pas souffert ? Quand, toutes ces fines choses, il suffit bien de les servir nature ? Quand, par ici, subsiste l'échalote grise de vigne, que l'on remplace ailleurs médiocrement par l'oignon-échalote ? *« Le premier secret du beurre blanc, c'est l'emploi de l'échalote grise,* admit Michel Augereau, pourtant rouspétant : *J'en ai assez d'entendre dire : " Il faut aller chez Augereau pour manger ses poissons au beurre blanc. " »*

Ne le dites plus, lecteur. Courez-y. Chez Augereau, c'est peut-être le meilleur beurre blanc qui se fasse. *« A dix ans, je savais le monter »,* concéda le fils grognon. Changer ? Abandonner le beurre blanc contre une sauce safranée ou une petite nage au miel et au gingembre ? Sacrilège quand on est tombé tout petit dans la casserole magique, et que réussir un beurre blanc, bien mousseux, tout léger, reste la chose la moins partagée en cuisine ? *« La plus facile »,* rouspéta Michel. Et la savoureuse matelote flambée au marc de Savennières ? Facile, aussi. Et la friture de " blanchaille ", d'ablettes piquées une à une à la canne dans le fleuve ? Jeu d'enfant. Et la bonne rillette d'Anjou, bien en chair, pas trop grasse ? Quoi de plus modeste ? Et les petits pois à la française, juste cueillis avec une chiffonnade de laitue et des lardons ? Simple comme bonjour. Allez savoir pourquoi ces choses-là toutes naturelles sont recettes de Loire sinon de nulle part ; spécialités de chefs tel Augereau et qui commencent à se faire honte de les continuer et qui rêvent de mode, d'épices orientales et de japoniaiseries.

« Changer ? » s'inquiétait le jeune homme. Parce que l'emballage compte plus que l'emballé ? A mon passage, Michel fils d'Albert revenait d'un stage à Paris. Soucieux de se mettre à la page, il avait planché quinze jours en cuisine chez Robuchon, le grand chef du Jamin. Il en revenait les yeux pleins d'étoiles de

tout ce qu'il est possible de faire avec des machins-trucs qui cuisent sans cuire tout en cuisant et même que, grâce à ces procédés nouveaux, les choses sont meilleures qu'elles ne devraient l'être car ce qui compte aujourd'hui — n'en revenait pas Michel fils d'Albert —, contrairement-à-ce-que-disait-Papa, ce n'est pas la qualité exceptionnelle de la matière première, c'est la technique qui fait des miracles, et même qu'aujourd'hui on passe pour un con dans le métier quand on sert le meilleur des saumons de Loire tout simple avec un petit beurre blanc et des carottes primeurs, puisque le génie est de triompher avec de la morue piquée de saumon fumé, assaisonnée avec du ketchup et du soja, excellent plat d'ailleurs mais attention les yeux, braves gens, en grande comédie servi, en mesure les loufiats, en mesure une-deux, levez les cloches d'argent. Depuis qu'il avait vu tout ça à Paris, Michel fils d'Albert, il hésitait douloureusement : *« Changer ? Mais qu'en pensez-vous, monsieur le journaliste ? »*

Ce que j'en pensais ? Tout comme du Bellay : plutôt que l'air marin, la douceur angevine. Ne pas manger à Liré comme à Romorantin. Je pensais que, si même en Anjou, où rien pourtant jamais ne change, la gastronomie seule se banalisait, je pensais qu'il fallait sauver l'Anjou au nom du Sacré-Cœur. *« J'ai dit : changer ? »* du coup s'épouvanta Michel. A ce mot, à cette terrible perspective, Michel vacilla. Mesdemoiselles ses sœurs, la blonde et la brune, tournèrent comme oiselles effrayées autour du fils prodigue. La duchesse mère mobilisa les foudres du père qui est aux cieux. Toute la bonne maison Augereau, de la cave au pignon, se liguait contre l'audace. C'était tant mieux ainsi. Quelle médiocrité y aurait-il à cuisiner " comme Papa " quand le père sortait le saumon de son fleuve, l'échalote de son jardin et le vin de ses vignes ? *« Il faudrait que je change tout de même un peu »,* marmonnait Michel fils d'Albert qui se désespérait d'être le nouveau roi du beurre blanc. La Loire paressait dans son lit, découvrant des blondeurs. La barque du pêcheur tanguait à l'amarre. Tout continuait donc.

Le chef cuit dans le marbre

« Mon bonheur est de faire la cuisine qui me plaît. A la limite, que des gens la mangent m'indiffère. » Voilà cinq heures que j'interroge Joël Robuchon, le jeune chef qui monte, qui monte... et il vient seulement d'esquisser une première confidence. Pourtant, c'est lui qui avait pris l'initiative de nos rencontres, de sa manière oblique et feutrée, par l'intermédiaire d'un ami commun. Il me conviait à dîner dans son fameux Jamin, à Paris. Je fus traité comme un nabab, mais de Robuchon, point. Pas un bonjour en salle. Il fallut que je le déniche au fond de sa cuisine. Que voulait-il me dire ce soir-là ? Je me le demande encore. Partagez ici la perplexité de l'auteur qui fait le portrait d'un muet. D'un homme d'allure quelconque, de taille ordinaire, d'âge moyen, qui n'a rien d'un chef, sauf que beaucoup le tiennent — avec de bonnes raisons — pour le meilleur de France. Il ne me restait qu'une solution : l'espionner dans son antre, en cuisine, là où la rumeur prétend qu'il transmute le rouget en bohémienne et le homard en boléro.

Le nouveau rendez-vous était à midi. À mon arrivée au Jamin, je croyais trouver une brigade sur le pied de guerre, faisant ronfler les feux comme des locomotives, jonglant avec les fricassées, les marinières et les poêlées. Je tombais sur une quinzaine de marmitons qui cassaient la croûte sans hâte. Robuchon ne fit son entrée en cuisine qu'à midi et demie. Il inspecta la tenue des commis, alignés devant les fourneaux, puis sur un coin de table, tranquille, il grignota une cuisse de poulet, picora une salade, dégusta un sorbet. Avant qu'il n'eût fini, le maître d'hôtel apportait la commande des premiers clients. Flegmatique, Robuchon prit la fiche, écrivit dessus *« 12 h 48 »*, et annonça : *« Une frivolité, un ravioli, un rognon, une volaille. — Oui, chef! »* répondit d'une voix le chœur des marmitons. J'écarquillais les yeux : de l'autre côté, les clients étendaient déjà les pieds sous la table, or il n'y avait encore sur le feu que trois casseroles d'eau bouillante et quatre fonds de sauce. Tout ce petit monde semblait prendre la chose à la légère, bien que les ordres se soient mis à affluer. 12 h 50 : *« Une rouelle, un blanc de bar, un agneau, une poêlée. — Oui, chef! »* 12 h 55 : *« Une marinière, une bohémienne, une canette. — Oui, chef! Oui, chef! Oui, chef! »* On eût cru un prêtre et ses diacres, en toute sérénité, entamant par un psaume une grand-messe concélébrée.

L'office se poursuivit dans un silence d'église. Chacun faisait les gestes mille fois répétés. Un commis étirait prestement la pâte, la coupait, y posait les langoustines, façonnait les raviolis. Il passait ceux-ci à un autre commis qui vite les plongeait dans l'eau bouillante tandis qu'un troisième se hâtait d'achever la sauce d'accompagnement. Miracle : dix minutes ne s'étaient pas écoulées depuis la commande que l'assiette de raviolis de langoustines aux choux arrivait sous le nez de Robuchon. Celui-ci se tenait à l'écart de la troupe, debout derrière une haute table, l'œil à tout, tranquille et redouté comme un petit César, surveillant la manœuvre, bien décidé à inspecter tous les plats avant qu'on les servît. Robuchon vérifia du doigt la cuisson des raviolis, effleura la sauce de son index, la goûta, opina que pour le prochain plat il faudrait la corser. Il saupoudra l'assiette de truffe hachée, en fit briller le tour d'un coup de torchon et l'expédia en salle, après que le serveur l'eut mise sous une cloche d'argent lustrée comme un miroir. Déjà la rouelle de homard et la bohémienne de rougets arrivaient, préparées dans le même mouvement de ballet. Robuchon tâta la cuisson, flaira la sauce, frotta l'assiette, l'envoya. La machine tournait rond, piano.

Elle monta en puissance après 13 h 30. Les derniers clients en étaient aux hors-d'œuvre quand les premiers entamaient le dessert. L'exécution devenait allégro. Des bavarois croisaient des morues fraîches. Des crêpes soufflées doublaient des foies gras à la nage. Des mignardises draguaient des frivolités de saumon

saumon enfumé. Dix fois je redoutai le grand embouteillage. Les marmitons suaient de la vapeur aux herbes. D'autres mijotaient dans leur jus comme les canettes cuites en cocotte lutée. Tous esquissaient des entrechats, faisaient des pas de deux pour ne pas se rentrer dans le lard. *« Chaud, devant ! »* murmuraient les plus bruyants. Et ils s'attiraient aussitôt en réplique un *« moins de bruit ! »* impérieux *(« oui, chef ! »)* du grand maître, tranquille comme Baptiste, toujours debout derrière sa table et goûtant. *« Les pleurotes, Laurent, juste un tour de poêle sinon c'est trop sec. — Oui, chef ! — Laurent, la morue, tu refais, elle est trop cuite. Vite. — Oui, chef ! »* Pas un mot plus haut que l'autre. Au lieu d'une grand-messe, c'était une messe basse sobrement expédiée.

A 14 h 15, le service des plats chauds était fini. A 14 h 30, la cuisine était briquée et rangée comme un bloc opératoire. « *Ils sont bien, mes petits gars,* se félicita Robuchon. *Ils arrivent à 7 heures le matin alors qu'ils devraient venir à 9. Ils le font d'eux-mêmes. Sans doute parce qu'ils considèrent que, dans ma cuisine, il se passe plein de choses.* » Mais lesquelles ? J'étais épuisé d'avoir tout épié. J'étais cuit à l'étouffée dans ma graisse comme le rognon de veau et je n'avais quasi rien vu. Sinon que c'était du grand art, toute cette suite de petits gestes vifs qu'exige la préparation des plats à la minute.

Quant à Robuchon, son portrait... Le cuisinier de marbre ? Pendant tout le service, il n'avait fait que goûter, lustrer les assiettes et donner la cadence à la chorégraphie des marmitons. Je n'étais pas plus avancé sur le caractère du personnage. La chance faillit me sourire sous les traits d'une de ses cousines, qui passait par là. Je lui fis mille grâces. Elle se laissa aller à raconter qu'elle était du Poitou, comme Joël ; que c'était un pays de paysans, où l'on gardait l'orgueil du travail ; que Joël avait appris au petit séminaire la discipline et la grandeur du dépassement de soi ; qu'il avait mis cette ascèse en pratique dans un très long tour de France des cuisines, fait en tant que compagnon ; que sa vaillance lui avait valu de remporter tous les concours professionnels ; qu'il s'était installé petitement, tout tremblant, au Jamin ; qu'il n'en avait pas dormi les premières nuits, et même qu'il en avait fait de l'urticaire... *« Mais vous notez tout ça ? Peut-être que ça ne lui plaira pas. En Poitou, on n'est pas causant. Écrivez simplement qu'il est gentil, discret, tenace. »*

Pour saisir mon homme, il ne me restait qu'une carte à abattre : la sienne, celle de ses menus et de ses plats. J'avais remarqué que Robuchon libellait sa carte sobrement alors que ses recettes étaient d'une complexité culinaire inimaginable. J'attaquai la dernière interview, le couteau entre les dents. Qu'on me pardonne : je fais mon sale métier, que voulez-vous.

— Votre ravioli de ris de veau aux herbes, commençai-je. Aux herbes, ridicule ! On n'est pas des veaux. Enfin, passons... Qu'est-ce que c'est ?

— Des dés de ris, entourés d'une farce composée d'un hachis de ris, d'échalotes, de persil, de courgettes, de girolles, de trompettes-de-la-mort. Farce sautée au beurre. Mise à la minute autour des dés dans les raviolis. Ceux-ci pochés dans de l'eau avec une cuillère d'huile. Roulés dans du beurre tiède et un petit fond de veau. Puis dressés sur l'assiette au-dessus d'une purée d'épinards, elle-même entourée d'un cordon de jus de veau lié à la crème. Sur les raviolis, au moment de servir, je mets encore quelques girolles et trompettes-de-la-mort.

— Quelle complication ! Et votre salade champêtre ? Champêtre ! Et pourquoi pas urbaine ? Quel nom ridicule encore. Enfin...

— Elle est composée d'un gramme d'estragon, un gramme de marjolaine, un gramme de menthe, un gramme de sauge, deux grammes d'aneth, deux grammes de cerfeuil, deux grammes de basilic, dix grammes de cresson, dix grammes de pissenlit, vingt grammes de mâche et quatre grammes de truffe hachée. Je l'assaisonne avec du vinaigre de vin, coupé de vinaigre de xérès, puis avec de l'huile d'arachide et une cuillère à thé de jus de viande d'agneau.

— Ce n'est pas un peu tordu, tout ça ? Quinze sortes d'ingrédients dans une salade. Où s'arrêtera-t-on ? Vous ne pourriez pas servir une simple laitue ? C'est comme votre marinière de coquillages. Qu'est-ce que vous n'allez pas fourrer dans un coquillage, posé tout seul au milieu de l'assiette ! Dites-le, si vous osez.

— Je mets plein de petits coquillages dans le grand. Il y a

une moule, une huître, une palourde, une praire, une coque et un vernis hachés.

— Le luxe du superflu. Déjà que d'autres mettent du caviar dans les huîtres. Précisément, votre gelée de caviar à la crème de chou-fleur, quelle mixture !

— Une invention amusante. Le mangeur ne voit que la crème un peu tremblotante. Il creuse avec sa petite cuillère et il découvre une gelée qui n'est pas que de caviar mais aussi de homard.

— Ça vous amuse, dites-vous ? Toute cette complication ?

— Il faut bien que je me distingue des autres. Mon défaut, comme vous avez l'air de le dire, est de servir les plats d'une grande technicité, ceux que peu de cuisiniers pourraient faire. Je marie les goûts à ma façon. Je me sens comme un peintre qui, après des années de tâtonnements, a trouvé une palette de couleurs bien à lui. C'est peut-être la raison pour laquelle, au Jamin, Michelin m'a donné les trois étoiles en trois ans. Une promotion unique, dit en passant.

— Un cuisinier qui se voit aussi gros qu'un peintre... Peut-être, en effet, à en juger par vos prix. Le moindre plat de votre carte est à cent cinquante francs ou tout comme...

— C'est que la bonne marchandise coûte cher.

— Vous dites n'importe quoi. Vous le gosse de pauvre, l'ancien séminariste, l'ancien compagnon du tour de France, ça ne vous gêne pas quelque part de faire payer deux cent quatre-vingt-dix francs un poulet, fût-il de Bresse ? Répondez !

— Euh... C'est-à-dire qu'il est présenté au client dans une vessie de porc. C'est très impressionnant. En vérité, nous ne cuisons pas le poulet dans la vessie, nous l'y mettons au moment de servir. Mais il ne faut pas le dire...

— Taisez-vous !

Zut ! Je m'étais pris moi-même au jeu de dame Gaillard, de l'interview choc. J'avais parlé trop vite. Pour une fois que Robuchon ouvrait la bouche. Je le tenais, mon homme, cet orgueilleux de croquant. J'allais enfin savoir pourquoi il n'a pas son pareil pour couper les cheveux de persil en vingt-quatre. Pourquoi il abuse d'un talent extraordinaire pour réussir des mets d'une finesse si prodigieuse qu'ils mériteraient de n'être point mangés. Ou alors en silence, dans le recueillement et la méditation, tels des moines au réfectoire. Mais il ne me l'a pas dit, il ne dit jamais rien. Il cuisine, il cuisine, c'est tout ce qu'il veut faire. Jusqu'à la perfection, pour le meilleur et la postérité. *« Que les gens mangent mes plats m'indiffère. »*

Manuel des marmitons

Aux marmitons bien nés, qui veulent trouver fortune et gloire dans la voie lumineuse de la haute cuisine, l'artisan de plume que je suis propose une modeste leçon aux fins de les aider dans leur irrésistible ascension. De la bonne rédaction du menu et de la carte, tel sera l'objectif poursuivi en quatre exercices, dont voici le premier :

Le mot juste

Naguère, lorsqu'ils écrivaient le menu, les restaurateurs se contentaient d'appeler les plats par leurs noms ordinaires : melon, huîtres, blanquette, poulet. Aujourd'hui, conquérir le client exige plus d'imagination. Par exemple, on n'annoncera plus ris de veau mais *pomme* de ris de veau, ce qui — chacun en conviendra — allèche le gourmet et permet d'augmenter le prix du repas.

Pour les ingrédients suivants, trouvez la bonne appellation en cachant la colonne de droite.

nouilles	*pâtes fraîches*
épinards	*pousses* d'épinards
laitue	salade *potagère*
riz	riz *sauvage*
cerfeuil	*pluches* de cerfeuil
safran	*stigmates* de safran
pigeon	*aiguillettes* de pigeon
foie	foie *blond*

Le terme technique

Un chef qui se contenterait maintenant de servir le meilleur des beurres, les plus fins légumes et même le caviar nature, sans aucun de ces apprêts qui font toute la différence, n'aurait d'autre avenir que les cantines scolaires.

Trouver pour les mets suivants le petit quelque chose en plus, l'astuce technique qui fera tilt. Cachez la colonne de droite.

caviar	caviar en *gelée*
truffes	*coulis* de truffes
morilles	*sabayon* de morilles
homard	*ravioles* de homard
aubergine	*caviar* d'aubergine

Pour le beurre, trouvez douze déclinaisons.

RÉPONSE : ....

....

EXEMPLES : beurre de poivrons doux, beurre d'anis, beurre de tomates, beurre d'écrevisses, beurre d'olives, beurre d'échalotes, beurre de ciboulette, beurre d'herbes, beurre battu à la cannelle, beurre au cerfeuil, beurre de noisettes, beurre d'ail...

Même exercice pour les légumes.

RÉPONSE : ....

....

EXEMPLES : moelleux de légumes, fondue de légumes, légumes en gelée, mousse de légumes, aspic de légumes, brunoise de légumes, embeurrée de légumes, nage de légumes, matignon de légumes, aïoli de légumes...

Petitesse = qualité

Auparavant, on allait au restaurant pour manger. Désormais, on y va pour maigrir et pour s'amuser. D'où la nécessité de rédiger la carte de telle façon que sa lecture convainque le client qu'il aura moins que rien dans son assiette.

Recherchez l'infiniment petit. N'annoncez plus :

baudroie mais	*escalopines* de baudroie
turbot	*minutes* de turbot
langouste	*émincé de queue* de langouste
saumon	saumon en *fines feuilles*
courgette	*fils* de courgette *beurrés*
foie gras	*copeaux* de foie gras

L'auteur de ces lignes tient à préciser qu'il a soigneusement étudié les cartes des plus grands chefs avant de proposer ces exercices pour l'instruction des marmitons. Les appellations qu'il cite comme exemplaires ont toutes été relevées dans lesdites cartes.

Si l'auteur avait à attribuer des palmes aux chefs les plus remarquables par leur talent d'écriture, il les décernerait ainsi :

Prix de l'Académie française :

Gérald Clor, maître cuisinier à Carry-le-Rouet,

pour ses

melon de Provence gorgé de soleil sur son lit de neige,

loup de velours sans arêtes, gâteau subtil de la marée, accompagné d'un beurre blanc mousseux et léger,

pigeonneau grillé fondant de tendresse sur les pommes forestières.

Prix Goncourt :

Alain Chapel, maître cuisinier à Mionnay,
pour ses
petit pâté chaud de lapereau de garenne,
beurre salade de roquette, de feuilles de chêne,
d'éclergeons à l'huile de noix et aux chapons,
et
filets de bar de l'Atlantique de petit bateau aux
oignons confits à l'écorce d'orange et au vinaigre.

Prix du nouveau roman (ex aequo aux jeunes maîtres)

Gérald Passédat de Marseille,
pour son
pigeon de Bresse à la vapeur des garrigues en
ballon de légumes,

Pierre Gagnaire de Saint-Étienne,
pour son
petit curry d'agneau de lait aux poires, timbale
de riz sauvage aux raisins blonds.

Que de si brillants exemples ne découragent pas les marmitons. Qu'ils ne s'écrient point que tout fut écrit avant eux. Je leur propose un dernier exercice, inspiré d'un divertissement de Molière.

Tourner de trente autres façons le petit curry d'agneau de lait... *emprunté à Pierre Gagnaire.*

EXEMPLES :

curry sauvage d'agneau blond aux raisins, timbale
de riz petit au lait et aux poires.

Ou

raisin d'agneau aux petites timbales de riz, lait blond
de curry et de poires sauvages.

Cent fois sur le menu remettez le ramage.

INTERLUDE

Quand à Sète la friture du golfe
vient du golfe du Bengale...
Lorsque la meilleure façon de manger à Marseille,
c'est avé *les yeux...*
Tandis que la joyeuse cuisine niçoise
est reléguée au rang de curiosité touristique...

Où l'on constate que la restauration méridionale
est le désert des Tartares et des Tartarins.

Les coquins de Sète

« Êtes-vous un journaliste rapide ? » me lance Coco avec l'air dégoûté d'Al Capone engageant un tueur. Coco joue au boss qui tire le pigeon de client. A peine ai-je dégainé mon carnet qu'il déballe tout en vrac : comment la plupart des gargotiers de Sète nourrissent les touristes tels des veaux ; comment ils vendent pour poissons de la Méditerranée ce qui est du congelé philippin. *« Mettez Troisgros à Sète, il fera comme nous ou il fera faillite »*, provoque Coco. Il est un des vingt restaurateurs du quai de la Marine. C'est pourtant chouette, la Marine ! Voir à la queue leu leu les grosses bedaines de chalutiers ; les gaillards de marins hirsutes et poisseux qui se bousculent avec les mareyeurs ; toute une abondance, une pagaille païenne des odeurs et des bruits. La Marine est le ventre de Sète, le bas-ventre de la mer, une escale luxuriante au pied de la colline bleutée de Saint-Clair, une parenthèse dans le béton qui momifie la côte du Languedoc. Les bistrotiers ne s'y sont pas trompés, qui ont tissé sur la Marine la toile de leurs enseignes de marins d'eau douce : la Madrague, l'Amiral, le Pescadou, l'Oursinade, les Abysses, la Jonque sétoise, la Rascasse, la Perle des mers, le Brise-lames, le Chalut... On rêve.

Coco a posté une fille, une brunette, en chair et en parfum, devant son établissement. Je lui en demande les raisons. *« Il faut rentrer les clients au forceps »*, lâche-t-il. Sur la Marine, plusieurs bistrots affichent le même affriolant menu : soupe de poissons, moules farcies ou friture du golfe, fruit ou glace, au même tout petit prix. Dans lequel entrer ? Le sourire de la brunette fait la différence. *« Les touristes sont des minables. Ils rentrent chez moi parce qu'ils n'osent pas dire non à la fille »*, tranche Coco. Il n'y a pas plus aimable que notre homme pour les vacanciers :

— Des bouffeurs qui veulent la quantité ; des moutons qui vont là où il y a le plus de monde.

— Tout de même, rétorqué-je, ils viennent pour manger du poisson frais. Les bateaux sont en face.

— Ils se fourrent le doigt dans l'œil. Leur servir trois plats à ce prix, on ne peut leur donner que du congelé.

L'édifiante conversation de M. Coco m'apprit que la friture du golfe vient du golfe du Bengale ; que la soupe de poissons n'a de méditerranéenne que l'eau de cuisson ; que la baudroie sétoise sent bon l'Atlantique froid ; bref, que les gargotes de la Marine (comme toutes celles de Menton à Dunkerque) travaillent l'été à congélateur ouvert, piégeant le touriste : *« Comptez cinquante millions de Français, deux cent cinquante millions d'Européens. Ils passeront tous un jour ou l'autre par la Marine,* ironise Coco. *Alors, contents ou pas, avant que chacun d'entre eux ait mangé une fois chez moi... »* A Sète, le seul restaurant convenable à prix modique est une table alsacienne.

Y eut-il jamais une cuisine sétoise ? Un écrivain et gourmand du cru — appelons-le Valery — soutient qu'il n'exista de gastronomie locale qu'italienne. Celle qu'introduisit à la fin du XIXe siècle une colonie de pêcheurs napolitains venus travailler en ces lieux. Il s'agissait d'une nourriture franche et peu coûteuse : seiche à la sétoise (avec de l'aïoli et des pommes de terre), cassoulet de seiche, tripes de thon et, le dimanche, macaronade de pâtes et de poissons. Cuisine aillée, relevée, toujours avec peu de sauce. C'est l'une de ses caractéristiques qui s'explique par le fait que les pêcheurs devaient pouvoir manger sur leurs bateaux sans s'en mettre partout : d'un morceau de poisson sur une tranche de pain juste mouillée. *« Les Sétois considèrent que la bouillabaisse marseillaise est si allongée que c'est un bain de pieds,* ironise notre écrivain, ajoutant : *la vraie cuisine sétoise manquait de raffinement, mais pas d'honnêteté. Tandis qu'aujourd'hui...*

Mais où passe donc la marée toute fraîche, celle qu'on débarque sous vos yeux ? Les rougets, loups, pageots, daurades, frétillant de soleil et d'iode ? Les derniers bons poissons de France parce que attrapés du jour en Méditerranée, alors que les prises de l'Atlantique, capturées en haute mer, subissent une semaine de cale et de glace avant d'être débarquées ? La pêche sétoise part pour l'Italie, *« et au prix fort »*, confirme le président des mareyeurs. Les esprits simplistes se demanderont pourquoi les Italiens, réputés pauvres, achètent à Sète le poisson pêché de cinq à sept, alors que les bistrots de Sète, pleins comme cinq, travaillent les poissons venus en Boeing 707 des mers lointaines de Setchouan. Les esprits simplistes s'étonnent que la marée de Sète fasse recette partout sauf à Sète.

Bref, sept heures sonnent. Où manger sur la côte du Languedoc ? Valery, l'écrivain gourmand, a-t-il juré ce jour-là de me faire maigrir ? *« Mon pauvre ami,* s'exclame-t-il, *Sète est encore un paradis gastronomique à côté des villes balnéaires du Cap d'Agde et de la Grande-Motte, ces enfers du fast-food. Je vais à Toulouse ou à Avignon quand je veux me régaler. »* Les gens de lettres sont méchants. On compte un demi-millier de restaurants autour du golfe du Lion. Ce ne serait que crémerie. Hérault, désert du gourmet pour mincir nu et bronzé loin des cassoulets collinaires de l'Occitanie intérieure et des victuailles alluviales du Rhône généreux ? Il n'y avait en Languedoc que deux sortes de restaurants, les mauvais, chers ou pas chers. Mais alors Albano ? Établi à Agde, celui-ci se prend pour le petit Bocuse de la Grande Bleue. Auparavant, il se faisait plein d'argent à la manière des coquins de Sète quand la tête lui tourna. Il se mit à cuire les poissons selon Gault ; à alléger les sauces d'après Millau. Il s'acheta un tablier comme celui de Guérard, fit graver les verres à son nom, alla jusqu'à investir dix millions de centimes dans les toilettes de l'établissement pour arracher une étoile au guide Michelin. Il l'eut et se retrouve gros-Jean comme devant.

Pourtant, on mange plutôt bien chez lui. Comme chez Léonce à Florensac, chez Alexandre Amirauté à la Grande-Motte et chez Gemignani à Sète, tous membres d'une intrépide association " Cuisine en Languedoc ". On se régalerait presque chez eux, si les prix pratiqués ne bloquaient l'appétit ; ils font le bon poisson au prix du caviar : toujours le même problème, pour cause de pénurie de marchandise, le bon poiscaille partant à n'importe quel cours pour l'Italie. La clientèle boude. " Cuisine en Languedoc " bat de l'aile. Un de ses membres a jugé plus rentable d'aller cuire des pizzas au Gabon. Albano, pathétique à force de se rêver en star technicolore, n'en peut plus de se battre : *« Tous les ringards se convertissent dans la restauration sur la côte. La demi-douzaine de maisons sérieuses crèvent de leur environnement. Ah, si le Michelin me donnait deux étoiles ! Je servirais de locomotive pour relancer la gastronomie régionale. »*

L'Olivier à Béziers avait ces deux étoiles. Bizarre, cet olivier au milieu d'un désert. Lorsque j'avais demandé à son propriétaire ce qu'il pensait de la cuisine languedocienne, il s'était emballé : *« Laquelle ? Il n'y en a pas. Le poisson ? A quel prix ? Même les fruits et légumes coûtent plus cher ici qu'à Paris. Et les Biterrois, parlons-en. Ils vont au restaurant pour gueuler plutôt que pour manger. »* La meilleure table du Languedoc tournait le dos à sa région. L'Olivier refusait ses racines. Un an après notre passage, il fermait. (Depuis, un autre cuisinier l'a rouvert.) Alors, en conclusion, s'il n'est pas ici de gastronomie locale, serait-ce que les gens du pays s'en fichent, de la table ? Curieuse peuplade du Languedoc qui vendange de la bibine et mange des rogatons.

— On accuse les touristes d'avoir tout fichu en l'air, avec leur ignorance et leur fric, opine notre écrivain. La vérité est qu'il n'y avait pas de grandes traditions culinaires à sacrifier. Nous ne sommes pas des Alsaciens.

— Pourquoi ?

— Il fait trop chaud, sans doute...

Trop chaud, même pour manger.

La bouillabaisse, collègue, c'est pas du pot-au-feu

Elles ont dû lire Pagnol. Elles poussent joliment la chanson, les poissardes du Vieux-Port. *« Allez, les beaux rougets de roche ! Allez, qui sont tout vifs ! Allez, la belle bouillabaisse ! »* Chaque matin, elles assurent le spectacle, au bas de la Canebière, quand rentrent les bateaux alourdis de poiscailles et qui frétillent et luisent de leurs bigarrures. *« Allez, monsieur, qui vivent encore, c'est des merveilles. »* On se laisserait convaincre par la musique des mots, pour les yeux de la Fanny. Je sors mon carnet de notes pour léguer à l'histoire les minutes authentiques de ces scènes de la vie marseillaise. *« Holà !* s'interpose mon guide, le chef Gérald Passédat, *n'écrivez pas, ne relevez pas les prix du poisson. Elles n'aiment pas ça. »* Car, à y regarder de plus près, *« les beaux rougets de roche, allez, qui sont tout vifs »*, allez qu'ils sont nulle part plus chers qu'ici.

Tiens donc, quelle est cette beauté, cette rousse sirène qui, de l'autre côté du Vieux-Port, m'adresse de larges signes ? Je nage, je vole, je suis bientôt à elle devant l'enfilade de restaurants qui occupent le quai de la Rive-Neuve. Elle m'accueille devant son établissement. Le meilleur, j'en suis sûr, et déjà j'en meurs de faim. Sur un écriteau rouge, elle m'assure de ses avantages et des prix. Je lis : " 55 F. Véritable bouillabaisse de Marseille avec rascasse et tous les poissons de roche, des crabes, des moules et sa superbe rouille. " J'en bafouille, je suis comme un gastronome mort quand une vision m'arrête : tout au long du quai, devant chaque restaurant, travaillent d'autres racoleuses. Les péripatéticiennes de la bouillabaisse, bouilles à baise, qui racolent les touristes. Je sors mon carnet de notes pour léguer à l'histoire les minutes authentiques de ces scènes de la vie provençale. *« Holà !* s'interpose Passédat, *n'écrivez pas, elles n'aiment pas. »* Car, à y regarder de plus près, les bouillabaisses du Vieux-Port — toutes proposées au même prix de 55 F —, *« allez, que les poissons sortent de l'eau »* : en effet, ils sortent de leur eau de congélation. La preuve en est que, sur l'autre quai, les marchandes vendent les poissons frais plus cher au kilo que la bouillabaisse achevée des gargotes.

Applaudir les artistes de la Canebière pour leur opérette-canaille. Même les bons chefs de Marseille sont en cuisine comme à la scène. Le vieux Fonfon, le roi de la vraie bouillabaisse, dans son caboulot du vallon des Auffes, c'est César, l'empereur en casquette devant les ors et les rouges des filets de pêcheurs. Mon guide, le jeune Passédat, deux étoiles au Michelin malgré son épingle dorée dans l'oreille, on le croirait présentateur de rock à la télé. *« Marseille j'adore,* s'exclame-t-il. *C'est dix villes en une, c'est too much ! »*

Passédat m'a emmené dans son Marseille à la mode. D'abord au port, au bout populeux de la ville, *« c'est New York, c'est Brooklyn ! »*. Des bistrots sur les quais pour manger juste un poisson grillé, quand les brunes sont belles au soleil de midi. Mais, à y regarder de plus près, l'animal a doublé de prix entre le port d'en face et la table avec vue sur le port. Jolie culbute, réalisée avant toute manipulation culinaire puisqu'on vous facture la bête au poids — aux cent grammes, ça trompe — telle que sortie de l'eau, avec la tête, la queue et les entrailles. Racket ou restauration ? Le loup grillé se paie entre deux et trois cents francs le kilo. Le loup est aux fourneaux : *« Pourquoi as-tu une si grande balance, chef grand ? — Pour mieux te voler, mon client. »*

Puis nous allâmes dans le quartier du Panier, au-dessus du Vieux-Port. *« C'est Naples ! »* — ses ruelles douteuses, son linge aux fenêtres, ses bouges à voyous et ses pizzerias, dont le patron-il-serait-un-caïd-du-milieu-qu'on-ne-serait-pas-surpris. Quelques dizaines de francs, la pizza. (Pour l'accent, accentuez le *i,* faites zézayer les *z* et avalez le *a.*) Quelques dizaines de francs pour une rondelle de pain, trente grammes de tomates et autant de fromage avec, en prime, un soupçon de piment, un frisson d'inquiétude à fréquenter les boss de la mafia. Quelques francs pour l'ambiance, parfum de drame, c'est pas cher, peuchère. Mais, à y regarder de plus près, à détailler l'énorme rapport d'une pizzeria, prudence : pour une fois, n'y regardons pas de trop près, si le boss, vraiment...

Nous allâmes enfin cours Belsunce. *« C'est Alger ! »* Au cœur de Marseille, Canebière et cannabis. Les remugles d'Arabie, Marseille qui sent bon le cumin chaud, traînasse, tire sa flemme, marchande, s'enfièvre. Et pleurent les hôtels borgnes au pied des moukères sirupeuses. Moi, j'aime ! Le thé à la menthe autant que le pastis. Il y en a beaucoup qui détestent. Car, à y regarder de plus près, à écouter les confidences des chefs, ce serait l'explication de la nullité gastronomique de Marseille : *« Trop d'Algériens, trop d'Italiens, ça finit pareil —* je cite des propos dix fois entendus. *Marseille est une ville sinistrée. Le cul de la France. Un port sans bateaux. Une ville sans usines ni bourgeois. Avec un vieux maire qui trempe ses biscottes dans la tisane. Même le train qui arrive à Marseille repart en marche arrière. Alors, dans cette débâcle, parler d'une gastronomie à Marseille, c'est une galéjade. Le guide Michelin n'y croit pas. A population comparable, il décerne cinq fois plus d'étoiles à Lyon qu'à Marseille. »* Et pour cause : à Marseille, les fripons font la fortune des rares cuisiniers honnêtes.

Je l'ai compris chez Fonfon. Déçu par les bouges à touristes du Vieux-Port, je m'étais dit qu'aux charmes safranés de leurs hôtesses mon devoir de gastronome commandait de préférer les rondeurs septuagénaires du roi de la bouillabaisse. Il fut parfait, Alphonse Mounier, dit Fonfon, ainsi font font font les petites bouillabaisses. Éblouissant dans le rôle. Je devais être son millième journaliste et, si l'on ajoute les chefs d'État, les cow-boys d'Hollywood et tous les petits chanteurs à la croix de bois qui sont passés par ici, le dix millième convive auquel il donnait à voir sa goûteuse comédie intitulée : *« La bouillabaisse, collègue, c'est pas du pot-au-feu. »*

Son secret ? Ouvre grand les yeux, Parisien. *Té,* tu ne les vois pas sous ton nez, les barques ? *Té,* elles reviennent du large et j'ai acheté le plus beau. Apporte-moi une rascasse, Ahmed, que le pitchoun il voit qu'elle bouge encore. Mon secret, collègue ? Fonfon ne regarde jamais les prix. Il prend le meilleur, il ne discute pas, il paie huit jours après. Tandis qu'autour du Vieux-Port, c'est une catastrophe. N'y va jamais, petit. La bouillabaisse, c'est pas une bouilliture de poissons pourris. D'abord, il faut juste la mouiller. Si tu noies le poisson, collègue, *té,* c'est du pot-au-feu. Et si tu la cuis trop, *té,* c'est de la pommade. Viens que je te montre, pitchoun. Je vais la faire pour toi en 20 mn. Ouvre les yeux, petit. Un fond de légumes sautés, des tronçons de congre que tu tournes à grand feu jusqu'à ce que ça fasse une pâte, là-dessus deux louches de bonne soupe de poissons, attention ! ça doit toujours bouillir. Maintenant, tu jettes dedans une belle rascasse vivante, un saint-pierre entier, un rouget grondin, quelques petites vives et des petits roucaous. Dans dix minutes, collègue, tu peux passer à table. Qu'est-ce que tu dis, petit ? Si je la fais toujours à la minute, ma bouillabaisse ? Pas seulement pour les journalistes ? Pour tous les autres clients aussi ? Dis, tu te moques de moi, petit ! Réchauffer une bouillabaisse, c'est un assassinat. C'est toi qui attends la bouillabaisse. C'est jamais elle qui t'attend.

Bientôt, elle fut sous mon nez, servie en deux assiettes, l'une de soupe et l'autre de poissons. Onctueuse sans brûler la gueule. D'une saveur différente à chaque poisson, sans empester l'excès de safran. A la table voisine, trois veuves sacrifiaient gaillardement au même rituel : à mi-repas, elles avaient oublié leurs maladies et leurs pauvres maris. *« Fonfon a encore grossi,* gloussaient-elles. *Ah, c'est un métier difficile ! Défendre la cuisine de Marseille ! »* Même la Bonne Mère, qui garde le port, bénit la croisade de Fonfon quand le mistral lui souffle au nez, là-haut, les effluves de la savoureuse bouillabaisse qui se mijote dans le vallon des Auffes. Laissez venir à Fonfon les petits clients. Fonfon n'en manque pas. Ni lui ni les patrons de chez Michel, du Calypso, de l'Épuisette, du Miramar et du Chaudron provençal, le dernier carré d'intégristes dressés devant les bouillasseux du Vieux-Port.

Braves gens, brave Fonfon qui résistent ! Sauf, hélas, à la dernière tentation : ils ont fait de la bouillabaisse un mets de riches quand elle n'était qu'un plat de pauvres, la consolation du pêcheur, préparée avec les poissons invendables. Cent soixante-quinze francs, la portion chez Fonfon, plus 15,96 % de service, ce qui porte la part de huit cents grammes au prix de deux cent dix francs. Un petit calcul : le poisson entrant dans la composition du plat s'achète autour de soixante francs le kilo ; donc la marchandise a plus que triplé de prix entre le quai et l'assiette, distants de deux mètres. Protester ? Le pouce en bas, l'empereur Fonfon vous condamne aux bouillasses du Vieux-Port, aux surgelées à cinquante-cinq francs. Ou quand la vertu s'appuie sur le vice pour justifier des prix injustifiables.

Aimer Marseille ? La ville qui se mange avec les yeux, le nez et les oreilles. A ne pas toucher, à ne pas ouvrir la bouche. Aimer Marseille où le plus doux des chefs se rêve gentil voyou. Aimer Marseille à la manière de mon pote Passédat, avec son épingle dans l'oreille, qui n'a pas son égal pour trousser l'aïoli de légumes et dévaler la ville par les sens interdits. Marseille à fond la caisse, à fond le tiroir-caisse. Pour se goberger l'œil. En guise d'apéritif, je vous suggère, par grand beau temps, une petite pause, délicieusement coûteuse, chez Passédat. Demandez une table près de la fenêtre. Pour le prix, jouissez de la plus belle vue de la restauration française : la mer qu'on voit danser autour de tendres reliefs qui ne sont pas que dans l'assiette. Tudieu, les minettes, juste en dessous de vous, à ras de l'assiette, elles bronzent en rangs serrés, sur les rochers en contrebas. Cachez ces seins ou je ne saurais boire.

ce qui sorte [illegible] de tout choix [illegible] au prix de deux cents [illegible] quatre. Un petit calcul [illegible] poisson [illegible] dans la composition du plat [illegible] tranche [illegible] triple du prix [illegible] quand l'assiette [illegible] dix ans de [illegible] le pouce [illegible] condamné aux bouillabaisses du Vieux-Port [illegible] On [illegible] la vertu [illegible] le vice pour justifier des prix [illegible].

[illegible] la ville qui se mange avec les yeux, le nez et les oreilles [illegible] pas tout [illegible] la bouche [illegible] Marseille [illegible] plus [illegible] des chefs [illegible] Aimer Marseille à la manière de mon ami Passedat avec son [illegible] dans [illegible] qui n'a pas son égal pour trouver [illegible] de légumes et dévaler la ville par les [illegible] Marseille [illegible] la caisse [illegible] le [illegible] d'apéritif, je vous [illegible] pas [illegible] petite [illegible] Demandez une table près de la fenêtre. Pour [illegible] la plus [illegible] de la restauration [illegible] la mer [illegible] dans [illegible] autour [illegible] qui ne sont pas que dans [illegible] juste en dessous de vous [illegible] elles [illegible] sur les rochers en [illegible] je ne saurais dire.

Nice, quelles salades !

La cuisine niçoise fleure l'ail ? Je dirai plutôt qu'elle sent l'oseille, l'argent vite gagné. J'en donne deux petits faits pour preuve. D'abord, le résultat d'un coup de fil au restaurant Barale pour réserver une table : « *Vous n'êtes que deux ?* grogne la terrible Hélène. *Je ne prends que les tables de quatre.* » Puis, au téléphone, j'ai Poupon, le Rendez-vous des sportifs : « *Non, je ne peux pas vous voir, je ne fais pas de publicité.* » Le temps de lui expliquer qu'il confond journaliste et démarcheur, il s'écrie : « *Holà ! Un vrai article. Ça va m'attirer le fisc.* » On a souvent écrit de la cuisine niçoise qu'elle était une sorte de gastronomie du pauvre, un ouvrage de femme, un chef-d'œuvre de patience, d'humilité et d'amour. La voici aujourd'hui livrée aux marchands. Tombée du jupon aux fripons.

Cuisine de mamma ? C'est un maire qui en parle le mieux : Jacques le scandaleux, de la dynastie des Médecin, qui sont de père en fils au chevet de Nice et de son carnaval de retraités. Le maire des vieux riches qui soignent leurs rhumatismes en se promenant comme des Anglais. Ce Jacques Médecin fameux pour ses croisades contre les communistes et pour la vraie salade niçoise « *sans le moindre légume bouilli, ni pomme de terre* », drôle de ratatouille idéologique. Trêve de plaisanterie. Il a beaucoup péché, monsieur le Maire, mais il lui sera beaucoup pardonné pour son livre-ordonnance, *la Cuisine du comté de Nice.* Telle qu'elle devrait être et telle qu'elle n'est plus.

Une cuisine de soleil, d'abord. Une cantate pour légumes primeurs. Avec l'éblouissement des févettes croquantes, le miracle des premières fleurs de courgettes. Et suivent la violette aubergine, le rouge poivron, la tomate saignante, l'oignon pointu, le basilic qui embaume. Tout un jardin dans l'assiette. Avec la soupe au pistou qui assemble jusqu'à dix-huit légumes. Avec la vraie salade niçoise, toute crue et croquante, du concombre à l'artichaut. Avec la sarabande des farcis, dont la chair varie souvent comme femme qui les cuisine. Avec le mesclun qui mélange au moins trois espèces de salades. Avec la ratatouille dont la préparation mobilise cinq poêles pour cuire chacun des composants à part. Avec les beignets, les tians, les marinades de petits légumes. Le chef a la main verte. Et souvent, ajoutant une *raïada d'oli crut,* une giclée d'huile d'olive, d'un modeste produit maraîcher il fait un monument.

Cuisine d'hiver, aussi (et plus inattendue). Grandes orgues pour étouffe-chrétien. Bienheureux les pauvres, ils seront rassasiés. Avec, du plus simple au plus cuisiné : la socca ou crêpe de farine de pois chiches ; la pissaladière, tourte à l'oignon badigeonnée de purée de poivrons ; la pourquetta, cochon de lait farci de porc et d'abats ; la daube à la niçoise qui, à la différence de la gasconne, contient de la tomate et des cèpes ; et les raviolis que l'on remplit à Nice des restes de la daube et d'un hachis de blettes.

Que le notaire de Lamotte-Beuvron se rassure ! Je n'ai pas oublié le stockfish ou estocaficada, *« le plat le plus populaire,* selon Jacques Médecin, *ragoût suprême à l'odeur féroce et à la haute saveur ».* Oui, notaire, j'imagine Jacques le terrible, notre maire de Nice, à la veille d'une campagne électorale, prêt à casser du communiste. Que mange-t-il ? Il cherche force et fureur dans la potée magique d'un stockfish. Dans ce ragoût d'églefin et de tripes d'églefin, boucanés par neuf mois de soleil norvégien et qu'il faut laver huit jours à eaux courantes et cuire six heures *au moins* avec abondance de tomates, oignons, poivrons, ail et olives pour le rendre consommable par les plus endurcis des appétits guerriers. Tout Nice raffolerait du stockfish. Pas moi.

Bref, d'hiver en été, la cuisine niçoise a de l'accent. Dès lors, pourquoi chercher midi dans le caviar quand, à portée de fourchette, poussent en rangs charnus les légumes gorgés de soleil et chantent comme cigales les herbes de la garrigue ? Rêvons au temps d'antan. La mamma allait au potager. Le panier d'osier dansait sur sa hanche. Ce qu'elle rapportait était si appétissant qu'on le mangeait deux fois, *avé* l'œil et *avé* la dent. La cueillette décidait du menu. La mamma cuisinait d'amour et de patience. Toute la journée ronflait sur le fourneau le pot de daube ou la potée de stockfish. Quand venait l'époque des farcis et des tians, la mère tirait vanité de son tour de main, riant que ses compositions éclipsassent les exploits des voisines.

Aujourd'hui ? Il n'y a plus de Méditerranée, il y a une mer morte, une belle assassinée par le dégueulis des égouts et les vomissures des usines. Il n'y a plus de jardins extraordinaires. Il y a une ruche bétonnée d'alvéoles ensoleillés et secondaires. Il n'y a plus de terroir. Le comté de Nice est devenu canton de riches. Il n'y a plus de mammas nourricières. Mais des frères de la côte, une horde de boutiquiers, tous braves gens qu'attire l'odeur du fric frais. Et pressés de tendre leurs rouges tabliers quand à l'envol des touristes il pleut de l'argent dollar. Alors, dans ce branle-bas, dans cette pétarade, la cuisine niçoise qui demandait patience et longueur de temps... Non, non, jeune homme qui voulez prendre la toque, branchez-vous plutôt sur le homard flambé et le loup au champagne. Faites dans la pizza de chic ou la crêpe de choc. Et, s'il est quelques vacanciers en mal d'exotisme, servez-leur de la salade niçoise, mais assaisonnée à l'huile de cacahuète et non d'olive (ils détesteraient) ; ou de l'aïoli à la mayonnaise mais sans ail, surtout (ils n'aimeraient pas ça).

J'exagère. Il y a sur la côte un escadron de bons chefs. Par exemple Maximin, le petit Napoléon niçois, le Tartarin du Negresco, qui s'amuse à arriver en retard à ses rendez-vous parce qu'il est *« une vedette »,* et qu'une vedette, *« ça se fait attendre ».* Il y a, tout autour, Vergé à Moulins, Outhier à La Napoule, Rostang à Antibes, Ducasse à Juan-les-Pins, Chibois à Cannes, Ingold à Èze, Le Stanc à Monaco. Une pléiade de talents. Avez-vous lu leurs cartes ? Je cite en vrac : courgette-fleur, minute de loup, aiguillette de canard aux navets confits, huîtres au champagne, suprême de pigeonneau aux pâtes fraîches truffées, salade tiède de langouste, ravioli de volaille, escalope de foie gras au gingembre, homard en trois services. Ça ne vous rappelle rien ? Et les prix ? Cinq, six cents francs par tête. Bref, la même grande cuisine à un tarif qui ne l'est pas moins qu'à Lyon, qu'à Paris. Et les mêmes chefs qui ont la tête dans les magazines. La vraie, l'honnête cuisine régionale, qu'est-elle devenue ?

J'ai fini par trouver à Nice une demi-douzaine de restaurants qui affichent " spécialités niçoises ". Spécialités comme à Bangkok, voici la cuisine authentique reléguée au rang de *curios*. J'ai testé les plus connus de ces restaurants. D'abord Barale, chez Hélène qui *« ne prend que par table de quatre ».* Mes yeux verts l'ont amadouée. J'ai toujours su parler aux vieilles dames. *« Asseyez-vous ici ! Non, là »,* ordonne Hélène. Sitôt assis, sans que j'aie rien demandé, je touche mon litron de rouge (décapant), ma part de pissaladière (froide), ma socca (mollassonne) et la salade niçoise, enfin une note poétique au milieu du charivari que font les tablées voisines. *« Les Japonais et les Allemands viennent chez moi, par cars entiers, pour l'ambiance »,* consent à expliquer Hélène. Je risque une question : *« Pourquoi, belle Hélène, ce caravansérail ? — Je ne vous réponds pas. »*

Au Rendez-vous des sportifs, Poupon le patron m'explique qu'il est tombé petit dans le chaudron de sa *« pauvre mère ».* Depuis, il cuisine niçois d'instinct. *« Il faut voir les gamelles que je sers aux clients. »* Avec son physique de chevillard, Poupon n'est pas cuisinier à jouer du Chopin au piano mais du tambour pour tambouille, aïe, aïe, ail. Quand, dans une péroraison coluchienne, il annonce *« au choix »* le lapin à l'anrabiada (à l'enragé) ou le menon aux poivrons *« du jeune bouc puceau, selon une vieille recette niçoise très, très cuisinée »,* un conseil pour les sportifs au rendez-vous : desserrez la ceinture.

Lou Balico fut la troisième station sur mon chemin qui devenait de croix. Si Ponce Pilate avait connu l'adresse, au lieu de faire clouer le Christ, il l'aurait condamné à cinq bouchées de stockfish, tel qu'on le prépare dans l'établissement.

Je réussis à en avaler quatre. J'avais gagné mon petit coin de paradis. Après trois jours de pérégrinations, j'ai fini par le trouver à la Meranda, où je me suis rassasié de sardines farcies, de pâtes au pistou et d'une daube. De grands plats simples, pas chers... Enfin de la vraie cuisine niçoise. Certes, l'établissement n'a pas le téléphone. Bien sûr, Jean Giusti le patron n'admet que les clients dont la tête lui revient. Sans doute ne leur donne-t-il que des tabourets pour s'asseoir. Sa carte, il est vrai, tient en dix lignes. Peut-être devrait-il éviter les scènes publiques de ménage. Mais que diable ! Vous êtes sur la côte, où le sourire n'est pas compris dans l'addition. Ô Niçois qui mal y pense.

INTERLUDE

Enivrants, les chefs de Bordeaux
Décoiffante, la popote bretonne
Crémeuse, ma Normandie
Tout feu, tout flamme, la table flamande

Où l'on découvre, après un petit tour sur le bateau de Rungis, qu'il s'en passe des choses sur le front des marmites. Hélas, la mayonnaise appelée gastronomie suppose le mariage de beaucoup d'ingrédients qui, ici et là, n'ont pas été réunis. Quand il y avait des chefs, il n'y avait pas de gourmets et, quand il y avait les deux, les traditions culinaires s'étaient perdues.

Où l'on comprend que les cuisiniers de l'Ouest
ont de bonnes raisons de ne plus avoir la frite.

Bordeaux : chassez le naturel, il revient au goulot

Oui, on boit comme un archiduc chez les Prats. Mais est-ce qu'on y mange bien ? Voici le menu du repas que donne cette grande famille vigneronne du Médoc, au moins cinquante fois l'an, pour les gens d'importance qui viennent goûter ou acheter ses vins :

alose grillée,
gigot haricots verts,
tarte aux fruits.

Un régime de gymnaste, mais sur quelle procession de vins, Jésus, Marie, Bacchus :

château petit village 1961, un somptueux pomerol,
château cos d'estournel 1955 puis 1898, les crus du propriétaire, deux émouvants saint-estèphe,
château suduiraut 1967, sauternes érotique.

« Le dépouillement des mets doit exalter la magnificence de nos vins », tranche Bruno Prats, s'exclamant : *« Dans le vignoble girondin, nous n'avons pas besoin d'un Bocuse. »* Singulier, l'état de la gastronomie dans le Bordelais. Le plus grand vin y coule à flots quand la table y est maigre et pingre.

Bordeaux, la ligne, pas les formes. Ville de négociants qui de tous temps se voulurent caves pour mieux vendre leurs pinards. Déjà avant la guerre, la cité ne comptait que deux ou trois tables honnêtes. Il y avait Dubern et sa spécialité, le buisson d'écrevisses. Il y avait le Château trompette et son entrecôte aux trois sauces, comble de la luxure. Il y avait surtout l'époustouflant Chapon fin avec son décor de grottes où s'abrita, cocasserie de l'Histoire, le gouvernement de la France en débâcle. *« Le plus grand chef de l'époque était celui qui sortait le plus vite ses plats de la chambre froide »*, ironise Francis Garcia, un des bons cuisiniers d'aujourd'hui.

Car il s'en trouve maintenant une tripotée à Bordeaux.

Amat, Clément, Garcia, Ramet. Et, un macaron en dessous, Bordage, Carrière, Ciona, Gauthier, Malibert, Mégret, Philippe, Xiradakis. Que diable font-ils dans cette galère ? Dans une ville affamée de culture pointue et d'échalotes piquantes ? A Bordeaux incapable de trahir longtemps la rustique entrecôte vigneronne pour la cuisse de canard au caramel d'épices ? Dans la ville dont le maire inamovible est un pénitent : Chaban au jarret nerveux et aux dents longues, qui conquit Bordeaux comme il aurait séduit une ballerine en tutu — en lui offrant un pot de yoghourt et un ticket pour la gloire ? Les chefs bordelais sont victimes d'une erreur d'aiguillage, ils le reconnaissent. Ils se sont fait un petit nom à cause d'une fameuse histoire de presse et de mode. D'un coup monté, dont on tirera pour morale qu'il ne faut jamais boire le vin de la gastronomie avant qu'il ne soit tiré.

Voilà qu'un jour, à la fin des années soixante-dix, Bordeaux s'est rêvé aussi gourmand que Lyon. Prenez comme acteurs du fantasme les susdits cuisiniers encore boutonneux et assoiffés de gloire, un opinel entre les dents. Enrichissez brutalement la ville avec l'implantation d'usines, dont celle du constructeur automobile Ford. Attirez-y les châtelains du vignoble d'alentour, qui vendent bien leurs vins et, dans leurs Peugeot neuves, montrent leur nez au chef-lieu. Vous obtenez un petit fond de clientèle gourmande pour les nouveaux chefs. Recrutez là-dessus un jeune directeur du tourisme, soucieux de corriger l'image hypocalorique de la ville par l'organisation de grandioses “ rencontres gourmandes ”, tout à fait artificielles. Faites mousser celles-ci et vos jeunes cuisiniers pressés par l'attaché de presse le plus branché de Paris, Mister one-two Tuil. Le résultat miraculeux est que, quatre années de suite, une centaine de journalistes de France et d'au-delà des mers débouleront à Bordeaux pour s'empiffrer comme pas possible. A la suite de quoi, repus et abreuvés, ils annonceront au monde agenouillé l'avènement prodigieux d'une gastronomie girondine. Qu'il était là-bas de futurs grandissimes chefs, Amat, Clément, Garcia, Ramet, les *wonder-kids* de Bordeaux, devenu le friand.

Pour peu, Lyon aurait craint de se voir détrônée, à tel point que Bocuse, son parrain, crut nécessaire de battre contre-offensive. Invité en Aquitaine, il se fendit d'un trait, selon lequel *« il n'y eut et n'y aurait jamais à Bordeaux que de cuisine à l'ouvre-boîtes »,* délicate allusion à la forte consommation locale de confits, foies gras et champignons gardés en conserves ménagères, comme dans tout le Sud-Ouest. Quant aux Bordelais, ébaubis par le tapage, ils n'en finissaient pas de s'émerveiller que les restaurants de leur bonne ville, après des siècles de léthargie, fissent couler tant d'encre et de salive. Et les voici d'un coup, tournant le dos à leurs habitudes, eux les brouteurs d'échalotes, les voici courant à ces tables fameuses, chez Amat, chez Clément, chez Garcia, chez Ramet, croquer des langoustines aux ravioles d'huîtres. Au restaurant comme au théâtre, ils allaient se faire voir, les bourgeois tout froids de l'Aquitaine. Au show de la nouvelle cuisine-spectacle.

Ça a duré ce que durent les modes. Les chefs, les *wonder-kids,* sont de leurs grandes ambitions revenus. Aujourd'hui, ils tirent les casseroles par la queue : *« Quatre grands restaurants à Bordeaux, plus une demi-douzaine qui sont presque aussi bons, n'est-ce pas trop ? »* s'interroge Amat, le meilleur d'entre eux. C'est que Bordeaux est vite revenu à sa frugalité. *« On ne compte guère plus de mille vrais gourmets dans la ville »,* regrette Pierre Veilletet, l'écrivain du journal *Sud-Ouest,* concluant : *« Le petit miracle gastronomique auquel nous avions cru assister n'était qu'un mirage. »* Chassez le naturel, il revient au goulot. Mauvais jeu de mots, qu'on me le passe, afin que j'introduise la question fondamentale que pose le cas bordelais : le grand vin peut-il cohabiter avec la bonne chère sur le même terroir ?

Crûment dit : pourquoi les châtelains du Médoc et les bourgeois de Saint-Émilion, riches comme ils sont et alors qu'ils reçoivent des dizaines de milliers de clients par an, pourquoi ces vignerons fortunés traitent-ils leurs invités chez eux, à demeure, au lieu de les amener au restaurant, ce qui consoliderait la gastronomie bordelaise ? Pourquoi ces nouveaux Crésus — *« mon vin contre du dollar »* — répugnent-ils à embaucher nos jeunes chefs pour donner à dîner au château ? Pourquoi s'en remettent-ils toujours à de braves ménagères, à ces *« bonnes Lucie, Gisèle et Léontine »*, pour trousser le gigot de pré-salé en l'honneur de leurs hôtes ? Pourquoi donnent-ils à manger au château comme à l'hosto ? Diététique : poisson grillé et viande rouge, apportés sous les lustres de cristal par un personnel en blouse blanche. Madame la Baronne est servie. Ne manquent que les crudités pour la santé. *« Ah non ! Jamais de carottes au repas. Ça ne va pas avec le vin. Même le dessert doit se marier avec celui-ci »*, s'emballe la jeune châtelaine, Nancy Cordier.

Voilà bien la raison : en Aquitaine, il n'y a de trône que pour le roi Pinard. La cuisine est sa vassale. Or monseigneur le Vin de Bordeaux est un colosse qu'une odeur ennemie effraie, qu'un aromate exotique paralyse. C'est un tyran soucieux qu'une gastronomie trop pointue lui nuise. L'eussiez-vous cru ? D'un chef local, Michel Gautier, qui marie avec audace les saveurs, un châtelain s'écrie qu'il *« fait une cuisine anti-médoc »* ; et d'un autre chef, Amat, au talent affirmé, il ronchonne que sa cuisine *« éclipse les vins »*. Bref, il est donc écrit : qui va au château, c'est pour boire du bordeaux. Et bien heureux qu'on lui serve là-dessus un poulet de grain. *« Inviter au restaurant ? Mais vous n'y pensez pas ! Il faudrait que je paie mon propre vin »*, s'émeut un propriétaire. *« Pourquoi dîner chez Clément, il n'a qu'un millésime de mes vins à sa carte »*, proteste un autre. *« Et,* insiste Bruno Prats, *l'Américain qui vient ici, c'est pour le rêve : du château, il veut du château. S'il l'a, il se contenterait à table d'un hamburger. »* Ainsi s'explique qu'en Aquitaine le printemps des grands vins fasse l'hiver de la gastronomie. Et que mon ami Jean-Michel Cazes, propriétaire du château Lynch Bages, m'honore comme personne quand il m'invite dans sa cuisine pour manger une simple côte de porc grillée. Mais attention ! Grillée aux vieux ceps de vigne... Monseigneur le Vin. Silence, on s'agenouille.

Ils ont de bons poissons, à bas les Bretons !

Chiche, j'écris : gastronomie bretonne. Provocation, souriez-vous, et de rappeler la boutade : *« Les pommes de terre pour les cochons ; les épluchures pour les Bretons. »* Je m'obstine : *Gastronomie bretonne* est d'ailleurs le titre d'un savant recueil de recettes, publié en 1965 par Simone Morand. Quand je leur ai parlé de cette bible, les meilleurs chefs bretons m'ont tous ri au nez : *« Il n'y a jamais eu de gastronomie bretonne ! »* Je leur ai renvoyé le grand Curnonsky au visage. Le maître se plaignait : *« Voilà cinquante ans que je crie sur tous les toits que la Bretagne est une admirable région gastronomique méconnue. »*

Au cinquième chef qui ricana, je répondis excédé : *« Au moins, feuilletons ensemble le livre de Morand. »* J'étais chez Bosser, qui tient une bonne table sur le joli port d'Audierne. Il y avait avec nous Le Gall, un grossiste, le roi du homard. Ils prirent leur air indulgent quand j'ouvris le bouquin.

— Potages bretons, commençai-je. Le livre en cite seize : aux marrons de Redon ; aux choux-fleurs de Saint-Malo ; aux oignons de Roscoff ; au potiron et au potiron sucré ; soupe au lait de Betton ; soupe mordellaise... Je poursuis ?

— Vous m'étonnez, convint Bosser.

— Vous avez oublié la bouillie de blé noir, intervint Le Gall ! Quel délice !

— Soupe de poissons et de crustacés, continuai-je. Mme Morand en a recensé vingt-deux sortes : de la lorientaise aux petits poissons, dite godaille, à la douarneniste aux sardines, en passant par les cotriades qui peuvent être de la Rance, de Belle-Ile ou de Cornouaille. Voici encore : potage à la cancalaise (avec des huîtres), soupe des pirates, soupes de berniques, de crabe, de langoustines, cotriade de merlans.

— Ah, la cotriade, acquiesça Bosser. J'en fais pour moi. Mais au restaurant, est-ce que les clients en prendraient ?

— Tripes à la bretonne, insistai-je. Le livre en donne huit recettes : avec de la crème double ; ou du cidre ; ou des lardons ; ou des pieds de mouton ; ou des pruneaux. Anguilles, huit recettes. Maquereaux, neuf recettes. Omelettes, quatorze recettes. Artichauts, dix-sept recettes. Congres...

— Ne me parlez pas de la daube de congre, implora Le Gall. Voilà vingt-cinq ans que je n'en ai pas mangé. J'en rêve. Comme du vrai beurre breton.

— Ah, le vrai beurre breton, soupira Bosser.

— Chaque paysanne avait son tour de main pour le préparer, poursuivit Le Gall. Et les crêpes ! Nous faisions des détours de vingt kilomètres pour nous en régaler chez certaines crêpières avec leurs longs jupons. Aujourd'hui, les crêpes n'ont plus que le goût de la confiture qu'on y fourre.

— Je vous le concède, monsieur le journaliste, conclut le cuisinier Bosser, les chefs bretons n'ont pas été de fervents défenseurs de la gastronomie régionale. Je vais acheter le livre de cette dame Morand. Travailler les plats anciens. L'an prochain, il y en aura deux ou trois à ma carte.

En attendant, devinez où l'on se régale d'une recette bretonne ? D'un ragoût de homard aux pommes de terre de l'île de Sein, recette dans laquelle les patates nourries du jus du crustacé éclipsent celui-ci ? Chez le grand cuisinier Chapel, dans la banlieue de Lyon. Chapel, qui passait par le Finistère, opina qu'il ne fallait point que se perdît un plat aussi fameux, servi encore par le seul maire de Sein. *« Pendant ce temps,* ironise-t-il, *les chefs bretons copient Bocuse. »*

Faut-il brûler les cuisiniers d'Armor et d'Arcoat ? J'accuserai d'abord les agriculteurs et pêcheurs de là-bas. Car sur quelle base reposait feu la gastronomie bretonne ? Sur la qualité des produits d'un terroir, sur l'excellence de ses viandes, de ses légumes, de ses poissons. Aujourd'hui, je me bouche le nez et je me pince la bouche quand on parle d'agriculture bretonne. D'où viennent les millions de poulets aux os mous et chairs flasques ? D'abord de Bretagne. Où produit-on le camembert plâtreux et l'emmental stérilisé à la chaîne ? En Bretagne. Et les porcs piqués aux antibiotiques ? Et les *baby-beefs* soufflés comme du pop-corn ? En Bretagne toujours, championne de l'élevage industriel, de la charcuterie industrielle, du maraîchage industriel et, avec Boulogne, de la pêche industrielle. Gastronomie bretonne, oui elle existait. J'écris aujourd'hui : cochonneries bretonnes.

Mais la marée, au moins ? Breton, allons voir si le poisson qui ce matin est débarqué brille de cette fraîcheur qui fit antan sa renommée ? Ce jour-là, sous la halle de Concarneau, une petite troupe maussade de mareyeurs s'arrachaient des grimaces et la marchandise avec. Un crieur hurlait les prix en rafale. Et les marchands muets dodelinaient de la tête pour signifier avec dégoût qu'ils surenchérissaient entre eux. Les arrivages étaient divisés en deux lots. L'un provenait des petits bateaux qui vont sur l'eau, juste quelques heures, le temps d'une marée. Ils rapportaient des poissons raides et beaux à croquer crus. Mais, comme il n'y en avait que peu, ils étaient fort chers. L'autre lot de marchandises, en quantités gigantesques, sortait de la panse des chalutiers de grande pêche, qui restent en mer une dizaine de jours : c'étaient des poissons de l'autre semaine, aux chairs molles. J'ai tendu ce poiscaille au nez d'un jeune gars, Alain, un vrai loup de mer qui sort chaque nuit courir le bar, le vrai, pas la buvette. Il fronça le nez :

— Ce poisson de grande pêche sent la cale.

— La cale ?

— C'est inévitable. Les gros chalutiers gardent, l'une près de l'autre, tous les espèces pêchées. Et comme ils les conservent longtemps à température insuffisante, dans la glace fondante, tout prend une odeur commune, dite de cale.

Le Gall, le roi du homard, renchérit : *« Le poisson de pêche hauturière est devenu abominable. »* Il n'empêche qu'il constitue aujourd'hui plus des trois quarts des apports. Un mareyeur entreprit de me rassurer : *« Ce poisson-là, on l'expédie à Paris. C'est le meilleur qui reste en Bretagne. »* Ils ont de bons poissons, vive les Bretons !

Voilà où j'en reviens à la grande question. Pourquoi la gastronomie de la région a-t-elle disparu ? La raison en est sans doute qu'au lendemain de la dernière guerre les chefs allèrent à la facilité. Foin de la vieille cuisine que pratiquaient les mères en coiffe ! Assez de toutes ces préparations qui demandaient trop de travail ! En Bretagne, décidèrent les chefs, ce serait le menu tout-poisson ou rien. D'ailleurs, le choix fut longtemps judicieux. Chaque été, les touristes affluaient, et que réclamaient-ils ? La marée toute fraîche et les coquillages du jour, bref ce que les chefs pouvaient se procurer à bon compte quand ils ne l'avaient pas au marché noir. Pourquoi se seraient-ils compliqué la vie ? Ils firent presque tous la même carte : plateaux de fruits de mer (y a qu'à ouvrir) ; turbot ou bar meunière (y a qu'à mettre le poisson dans le beurre) ; glaces au dessert (y a qu'à les prendre dans le réfrigérateur). La formule a fait le bonheur des millions de vacanciers. Mais voici qu'elle périclite.

A mon passage, les chefs bretons s'arrachaient la toque. Michel Kerever, qui était installé à Liffré, annonçait : *« Je veux quitter la Bretagne. Vive Paris ! »* Depuis, il s'est mis à Enghien, en banlieue parisienne. Georges Paineau, établi à Questembert, appuyait : *« Vive Bangkok ! »* où il travaillait déjà le quart de l'année. Au bas de l'échelle, chez les restaurateurs ordinaires, on parlait carrément de l'enfer : *« Il n'y a même plus d'avenir dans la crêpe. Cap sur la pizza, bâbord toutes »,* affirmait le patron du Forban à Concarneau. Les chefs bretons souffrent par où ils ont péché. C'est le poisson qui leur joue un tour de cochon, si j'ose dire. Son prix augmente de quinze à vingt pour cent par an. Et parfois davantage, car ces messieurs ne font plus que dans le gratin de poisson noble. La belle sardine, holà ! Le petit maquereau, olé ! Ils sont juste bons pour les becs espagnols. La clientèle française exigerait du bar, de la sole, du turbot. Hier peut-être. Aujourd'hui, c'est le même client, souverain et fauché, qui rechigne à sortir le billet de deux cents francs pour trois filets mignons de rouget. Trop chères, les bonnes tables bretonnes ne tournent plus que sur une patte. D'octobre à juin, faute de touristes, elles sont à demi vides. *« Ah, Bangkok,* soupirait la femme du chef. *Là-bas, il y a des riches. »*

Rungis sur mer et sous glace

Le pavillon de la marée à Rungis n'est pas un marché de gros. C'est un vaisseau fantôme. Une carcasse de bois gris, qui appareille chaque nuit pour des eaux embrumées. C'est un bateau ivre, dont les cales s'emplissent de poissons, aussi vite qu'elles s'en vident, sur des ordres cabalistiques que l'oreille humaine n'entend guère. La marée à Rungis est un coup de fièvre artificiel, une illusion de marché qui, chaque nuit, essaie de renaître tel qu'autrefois il fut quand il se tenait encore dans les vieilles Halles, sous les pavillons de Baltard, au centre de Paris. A cette époque, il y avait sur les étals du ventre de Paris la saison du hareng, le mois du bar, la semaine du saint-pierre. Maintenant, il y a toujours de tout à Rungis. Une chimère d'abondance. Le poisson sort souvent des flancs d'un cargo aérien et porte étiquette de douane norvégienne ou pakistanaise. Les vieilles Halles étaient une bourse gueularde comme une criée ; un débarcadère de l'intérieur, balayé par les embruns des tempêtes d'ouest. Rungis est un entrepôt réfrigérant, Rungis sur mer et sous glace, où personne n'entend plus les cornes des chalutiers qui doublent Ouessant. C'est un port sur autoroute et aérodrome.

Le père Pécunia hante comme une ombre le pont du vaisseau fantôme. Et toujours répétant, à l'heure de la retraite, que *« c'est fou, la chute de la qualité du poisson en quarante ans »,* ce qu'il a vu en près d'un demi-siècle de métier comme commissionnaire pour le compte des meilleurs mareyeurs. Je me suis promené avec lui parmi les étals. Moi, je trouvais *« tout beau et frais ».* Et lui me soufflait à l'oreille : *« Mais non, ce colin-là est pourri. Il est brûlé par la glace. »* A force de le suivre, j'ai appris à lire leur passé dans les yeux des poissons. La bonne sardine doit avoir la joue blanche. Si elle l'a sanguinolente, *« c'est qu'elle commence à avoir mal aux dents »*. Le frais rouget se reconnaîtra, au contraire, à son teint rubicond. Certitude qu'il vient juste de cesser de boire. Le grondin aura l'œil protubérant. La raie sera *« gluante »* au toucher, comme si elle sortait de son milieu naturel. La sole et le turbot tiendront raides dans la main. Mauvais signe, s'ils plient de la queue et dodelinent de la tête. La langoustine de qualité portera un corset nacré et translucide. Noiraude, elle trahit son âge. La saint-jacques de la veille aura une contraction charmante quand on lui chatouillera la noix. *« L'examen du poisson est un exercice sensuel »*, insista le père Pécunia. Il faut empoigner l'animal, vérifier la fermeté des chairs, la viscosité de la peau et la résistance des écailles... *« Si elles s'envolent quand on leur souffle dessus, c'est que la marchandise a deux semaines de cale. »* A Rungis, on a perdu l'habitude de compter en jours. Un expert du syndicat des poissonniers donna l'estimation suivante : quinze pour cent des marchandises présentées sur le marché ont été capturées dans les vingt-quatre heures précédentes. Trente-cinq pour cent datent de trois jours. Et le reste, de plus d'une semaine. Sur les quatre à sept cents tonnes mises en marché chaque nuit, un quart est en si mauvais état qu'il devrait aller à l'alimentation du bétail, au lieu de prendre le chemin de nos assiettes. Quant à la qualité extra, elle ne représente plus qu'un à deux pour cent du marché.

Expliquer la noyade du bon poisson. Par la faute, on l'a dit, des petits Bretons qui abandonnent la pêche côtière d'un jour, où l'on se mouille trop le cul ? Le nombre des professionnels a diminué de moitié en vingt ans. L'époque est à la pêche hauturière, au large, qui se pratique avec de gros chalutiers partant en campagne pour une douzaine de jours. Et qui, pendant tout ce temps, gardent les poissons en cale, tous mélangés, sous une couche de glace qui les brûle. Et qui, à l'arrivée, jettent leurs cargaisons sur le quai des criées, où elles traînent parfois dix heures de suite, à ras des bottes. *« C'est l'homme qui souille le poisson »*, déplora le père Pécunia.

Expliquer ? Accuser plutôt les chalutiers industriels qui pillent la mer jusqu'à entraîner la disparition de plusieurs espèces.

Qui raclent les fonds pendant des heures d'affilée, sans remonter les filets, ce qui a pour effet d'abîmer la pêche capturée avant même qu'ils ne la sortent de l'eau. Mais qu'importe le gâchis, tout sera surgelé à bord. La marée à Rungis est un rafiot bloqué dans les glaces artificielles de la congélation. La faute à l'État, qui a subventionné une navrante évolution pour aligner la flotte française sur les normes de " compétitivité " de ses rivales. La faute aux règlements bruxellois de l'Europe de la mer. Leurs mécanismes aveugles font que parfois on jette des tonnes de lottes fraîches en Bretagne parce qu'il y a surplus de vieilles lo-lottes dans les frigos. Il arrive aussi que Rungis importe des maquereaux d'Écosse alors qu'on en détruit, de tout beaux, à Concarneau.

La faute aux consommateurs aussi. Trop gros, trop bien nourris. Ils boudent les poissons ordinaires, snobent le merlu et le cabillaud. S'en tiennent aux recettes culinaires des chefs réputés. Ne daignent plus cuisiner que le rouget à la moelle comme Vergé, le saint-pierre aux petits légumes comme Troisgros, la rouelle de langouste à la vapeur de verveine comme Chapel. Ils exigent de leur poissonnier un assortiment permanent dans les cinquante-cinq sortes de poissons, alors qu'auparavant ils se régalaient de la pêche du jour, abondante et pas chère. Bref, d'un côté le beau poisson se raréfie, de l'autre la demande augmente. Il s'ensuit une escalade démente des prix. *« Demain, il faudra être millionnaire pour manger le petit bar de ligne de la dernière marée »,* soupira le père Pécunia.

Voici comment les prix ont évolué en dix ans, au stade de gros. La sardine a doublé. Le cabillaud, le lieu et le carrelet, triplé. La daurade, la lotte, la sole, le rouget et le bar, quintuplé. Et le saint-pierre... décuplé. Imaginez ce qu'il en advient sur l'étal du poissonnier, quand vous saurez qu'entre le chalutier et le client le prix du poisson quadruple. *« La hausse va se poursuivre »,* avancent benoîtement les professionnels. Les bonnes âmes ! Ils se débrouillent pour qu'il en soit ainsi. Par exemple il arrive que les armateurs bloquent les chalutiers, pendant un ou deux jours, à proximité du port : ils créent la pénurie (et merci pour la qualité de la poissonnaille qui attend). Une autre technique : les professionnels font venir la marée de pays de plus en plus lointains ; les frais d'approche peuvent atteindre dix francs sur le kilo de chinchards, lequel vaut un franc en Turquie, d'où il provient.

Cette nuit-là à Rungis, après qu'il m'eut instruit des dessous du marché, le père Pécunia se dit qu'il était temps de faire un peu de commerce. Il avait à l'étal des saint-jacques royales, brillantes et grasses comme un blanc d'œuf. *« Combien tu en demandes ? »* s'enquit un acheteur. Le bonhomme ne se fatigua pas pour répondre. *« Tu fais ton tour et tu reviens me voir. »* La rareté des produits de qualité est devenue si grande qu'il n'y a plus d'acheteurs à Rungis. Rien que d'humbles clients. Et presque autant de fripons : imaginez que chaque nuit une cinquantaine de tonnes de poissons disparaissent du carreau. Huit à dix pour cent du tonnage, c'est énorme. Le vol ? Non, le marché noir, la fraude sur les taxes. Rungis, ou la marée qui n'obéit plus ni à la lune, ni au soleil. Juste à l'attraction du profit.

Aux aurores, je pris le petit déjeuner avec P., un des gros bonnets de la halle. *« On va se casser une petite croûte en parlant »*, avait-il promis dans la nuit. Sitôt assis, il commanda un grand bordeaux. Paris s'éveillait mais à Dieu vat ! Le vin délie mieux les langues que le petit noir.

— Combien gagnez-vous ? hasardai-je.

— Beaucoup. Dans la branche, on prend maintenant du gros pognon, du pêcheur au poissonnier.

— Beaucoup ?

— Cinq briques par mois. Avec le certificat d'études, c'est bien, non ?

— Vous êtes de petits rois ?

— Vous, vous avez une bonne tête. On travaille beaucoup à la bobine dans le métier. On choisit son client. Allez, si vous avez besoin un jour d'un beau poisson pas cher, vous savez où me trouver. On s'arrangera.

Autour de nous, il était écrit partout : " Vente interdite aux particuliers ". A Rungis, même les écriteaux sont faits pour les bateaux fantômes.

Quand les Normands ne font plus l'andouille

Les braves gens. Peut-être ben que oui qu'ils n'ont pas de belles manières, peut-être ben que non qu'ils ont l'avenir pour eux. Mais j'ai eu plus de plaisir à manger à leur table que chez Maxim's avec madame Giscard. C'était en Normandie au pays de l'andouille et de la tripe. Justement, ils en fabriquent comme on n'en fait plus guère, de l'andouille et de la tripe. Quel métier ! Avec des abats atteindre à la gastronomie, c'est plus qu'un commerce, c'est une dévotion dont ils sont les derniers pratiquants. Lui, Bernard Foubert, dit Danjou, le roi de l'andouille de Vire. Et lui, Michel Ruault, l'empereur de la tripe de Caen. Souriez, bons lecteurs, mais oyez l'histoire que voici.

D'abord je vous présente Danjou, qui ne paie pas de mine, qui n'est même pas grand comme un dépendeur d'andouilles. Faut qu'il ait bu un coup et peut-être bien deux pour qu'il retrouve sa langue. Son royaume est une vieille maison à quatre cheminées. Mais immenses, celles-ci ! De taille médiévale pour rôtir un bœuf, et culottées comme la pipe d'un capitaine au long cours. *« Mes cheminées fument bleu, c'est preuve de qualité »*, marmonna Danjou sibyllin.

Il m'introduisit dans une salle humide, où pendaient d'énormes saucissons blanchâtres et peu appétissants : telles sont les andouilles au début de leur préparation ; des tresses d'intestins et d'estomac de porc, coupés en lanières, montés sur une ficelle, salés pendant quinze jours et ensuite " robés " dans un gros intestin. *« Rien que du cochon, c'est capital »*, expliqua Danjou, ajoutant : *« Il y a une ventrée entière d'animal par andouille. Le secret de mon métier, c'est la propreté du boyau et un long fumage. Vérifiez vous-même. »*

Danjou me poussa dans l'une des énormes cheminées. Elle était bourrée jusqu'à la gueule d'andouilles que la fumée avait noircies : mille deux cents pièces dans une cheminée et alignées sur cinq étages. Elles y étaient pour six semaines au moins, à la douce fumée de longues bûches qui de hêtre doivent être. Du bas de la cheminée, où elles pendouillent au début, on les remontera lentement jusqu'en haut selon un savant mouvement en quinconce. Quand l'ouvrier les enlèvera de l'âtre, pauvres andouilles, après cinquante jours bien au chaud, elles auront réduit des trois quarts. Puis elles seront mises à cuire, quatre heures encore, à l'eau bouillante avant d'être mises à l'étal. Leur préparation aura exigé pas moins de deux mois de soins attentifs.

Faire de la vraie andouille est un apostolat, ce qui explique que tant de fabricants apostasient : comment fument-ils, aujourd'hui, la plupart des concurrents de Danjou ? Trafic fumant : il y a de la fumée sans feu. Au lieu de passer l'andouille à la cheminée, ils la cuisent dans des décoctions qui sentent la fumée. Avec pour résultat de faire l'andouille en trois fois moins de temps et de perdre moitié moins de poids. Sur cent andouilles de Vire, vendues sous l'appellation, il n'y en a plus qu'une ou deux de fabriquées à l'ancienne.

Même à Vire. Pour le vérifier, j'avais acheté de l'andouille dans un hypermarché du lieu. Avec Danjou, nous devions déjeuner chez le père Ruault, l'empereur de la tripe, bonne occasion pour une rude dégustation : deux ronds d'andouille dans les assiettes pour un diagnostic unanime. L'andouille de Vire industrielle ? Caoutchouteuse, pleine d'eau et malgré tout écœurante. L'andouille de Danjou ? Robuste, saine, militaire comme une nourriture de chouan en campagne. L'industrielle valait soixante-quinze francs le kilo ; la vraie, cent cinquante francs : prix double pour un plaisir cent fois supérieur. Pourtant, l'industrielle se vend, et l'autre, presque plus.

« Ce sont toujours les gros qui gagnent, ronchonna le père Ruault, l'empereur de la tripe. *Tenez, goûtez maintenant de ma fabrication. Vous verrez. Elle est excellente. Rien à voir avec ce qu'on trouve d'habitude dans le commerce. Pourtant la vente en est limitée. »* D'une ronde tripière de grès, le père Ruault tira à la

louche de larges morceaux de viande, d'aspects et de couleurs différents. Cela formait un patchwork dans l'assiette, comme une œuvre d'avant-garde, de *food-art,* sans ressemblance en effet avec les bouillies de tripes-Guigoz que l'on sert d'ordinaire. Une vraie platée de tripes de Caen se compose de cinq espèces d'abats de vache : la panse, le bonnet qui est alvéolé, le feuillet qui est feuilleté, la caillette d'un ton rouge-marron et le pied. Chaque viande est d'un goût et d'une consistance particuliers. Il faut donc, au moment de la fabrication, la couper en bouts assez grands pour qu'on puisse la différencier des autres ; pour qu'elle ne tourne point en ratatouille après cuisson.

A la table du père Ruault, ce midi-là, chacun tendit son assiette pour les tripes et en redemanda, même les petites dames qui d'ordinaire s'énamourent en des lieux dits " nouveaux " pour les bouchées de caviar à l'oseille. *« Les tripes, il n'y a qu'à mettre le nez dessus pour savoir si elles sont bonnes »,* philosopha Danjou, le roi de l'andouille, que les bolées de cidre rendaient plus éloquent. Danjou est juré au monumental concours de la Tripière d'or qui se dispute chaque automne à Caen. Ce jour-là, de vaillants défenseurs de la tripe authentique goûtent jusqu'à trois cents échantillons avec une sévérité de maquignons. Reluquent la sauce, comptent les viandes, hument l'odeur et mâchonnent pour noter le plat. Celui, fort rare, qui obtient soixante-quinze points sur quatre-vingts arrache la suprême distinction de " meilleure tripe du monde ". Le père Ruault a eu le titre en 1966 : aussi, de charcutier qu'il était alors, s'est-il spécialisé dans la conserverie artisanale de tripes. *« Ça a payé un temps »,* se plaignit-il.

Était-ce le cidre qui pétillait triste ? Au milieu du repas s'éleva la complainte des Normands : il n'y a plus de bon cidre comme d'antan, il n'y a plus de bon beurre et guère plus de bons fromages et moins encore de vraie cuisine normande dans les restaurants. Par exemple, où trouver encore l'étonnante spécialité qu'était la graisse à soupe — faite avec le tour du rognon de bœuf et toutes sortes de bons légumes —, cette graisse odorante dont on relevait les potages ? Où goûter le lapin au cidre, le hareng à la dieppoise, le hareng mariné à la crème et la fameuse sole normande, dont la recette centenaire — lisez bien —

requiert des huîtres, des moules, des champignons, des crevettes, des truffes et des éperlans ? Combien de restaurants servent encore le poulet vallée d'Auge et le caneton à la rouennaise ? Pourquoi donc pareille débâcle ? Ruault et Danjou hochaient la tête, l'air de dire que la raison en est visible comme une mouche dans un pot de double-crème. C'est qu'à notre époque personne ne travaille plus, mon bon monsieur, et tout le monde il est pressé de s'enrichir sans se fatiguer. Danjou en ouvrant une bouteille de pomerol et d'un ton prophétique gémit : *« Bientôt on n'en fera même plus, du grand vin comme ça ! »*

Je ramenai le sujet à l'assiette : pourquoi la Normandie a-t-elle la tripe malade ? Le père Ruault hésitait à le dire, puis, en Normand qui se jette à l'eau, entraîné par le poids de son portefeuille : *« Peut-être ben que chez mes concurrents, les tripes de Caen, elles ne sont plus souvent fabriquées dans le Calvados et même pas avec des boyaux français. »* Ruault lâcha un dernier regard à sa femme et cracha le morceau. Il expliqua en substance que les bonnes tripes sont faites avec des abats de vaches saines et de bœufs dodus ; mais qu'aujourd'hui rares sont les ruminants qui broutent de l'herbe et non s'empiffrent de nourritures granulées, concentrées et ensilées ; qu'il faut donc dans une masse d'abats médiocres trier les bons et les nettoyer de frais, ce que devraient faire les employés des abattoirs. Mais ce qu'ils ne font plus, sauf à leur graisser la patte. Sinon ils empilent tout en tas, la merde et le boyau, saloperie que s'empressent d'acheter les conserveurs industriels et qui est mélangée dans les chaudrons de ceux-ci avec des abats congelés argentins. Le tout sera cuisiné avec des légumes deshydratés et des poudres de perlimpinpin pour le goût et la bonne odeur. Même que ça sentira le pré normand et le caramel dupondisigny.

« Après nous, le déluge ! » pleuraient Danjou et Ruault, tandis que l'heure était au petit alcool qui console les chaumières : *« Le calva, y a plus que ça de vrai ! »* Je m'entêtai dans un sursaut patriotique :

— Pourquoi les derniers artisans, il en reste, ne clament-ils pas qu'on trouve encore, en cherchant bien, de l'andouille délicieuse, des tripes savoureuses, du cidre fermier, de la crème onctueuse et du divin camembert ?

— Parce que les pouvoirs publics réservent leurs crédits de propagande aux gros, aux coopératives et aux industriels qui font surtout dans le faux produit de terroir.

En matière de gastronomie, la loi du plus fort n'est jamais la meilleure. Irai-je revoir ma Normandie ? Pour y manger comme à Romorantin ? J'en appelle aux lecteurs pour qu'ils me citent un chef normand qui s'enorgueillisse aujourd'hui de servir des petits plats du terroir. *« Ce n'est plus à la mode. Alors je fais une cuisine d'inspiration, j'impose mon goût »,* s'excuse le jeune Bruneau, le chef passionné et talentueux de la Bourride à Caen. *« Quel ennui, je n'arrive pas à trouver des fleurs de courgette dans le Cotentin ! »* s'énerve Michel Bonnefoy, qui est l'as de la cuisine au basilic, non pas à Nice, à... Carentan ! A force d'obstination, j'ai déniché un chef qui promeuve la gastronomie normande : la chère madame Engel avec ses bottes blanches et ses lunettes bleues, sous la halle de Beuvron-en-Auge. Succulents, son turbot au vinaigre de cidre et sa blanquette de sole aux pommes. *« Io, j'aime la bonne cuisine à la crème »,* confessa-t-elle avec son gros cœur d'... Alsacienne.

Le hareng de Boulogne contre le rouget de Lille. Allons enfants...

Il pleuvait des frites ce jour-là sur le pavé lillois. Waterlot avait l'œil aussi morne que la plaine flamande. *« La bataille est perdue,* râlait le grognard de la Devinière, *nous, les cuisiniers du plat pays, nous sommes en déroute. Méritons-nous la note de seize sur vingt dans les guides gastronomiques ? Ils ne nous donnent que treize. »* Les chefs lillois rêvent de chasse aux étoiles quand on les imaginait à la pêche aux moules-frites. Vérité ou bêtise de Cambrai que leur mauvaise réputation, que la piètre image gourmande du Nord ? Pour n'être point au vin, la cuisine flamande est-elle à mettre en bière ?

A Lille, j'ai trouvé un cuistot heureux. Un certain B. qui a la frite, justement parce qu'il s'obstine à en faire, des frites, alors que tous les autres bistrotiers du coin se sont mis comme ailleurs au *bad-food,* hamburger et tutti quanti. B. est un homme d'idées simples. Il a baptisé sa popote Bar-Express, car elle fait face à la gare où défilent chaque jour cent mille mangeurs de frites. Toute la sainte journée, les grosses mains de B. courent de bocks en cornets et de bières en frites. Comme je lui demandais quel tonnage il débitait dans sa gargote, toute de graisse ointe et parfumée, il me rit au nez : *« Pour cent cinquante millions de centimes par an, ce qui me procure cinquante millions de bénéfices sur une surface de vingt mètres carrés. Une année, j'ai même été sacré champion de France des limonadiers pour l'importance de mon chiffre d'affaires au mètre carré. Dis donc Jocelyne, sers une frite au journaliste. »* Jocelyne est son épouse. *« Elle est tombée sur moi il y a vingt ans,* rit B. *Depuis elle fait des frites. »* Je voulais interroger Jocelyne sur une passion aussi croustillante. Elle s'est effarouchée, criant qu'il n'est point de grasses amours que le temps ne corrompe. « *Bah, nous ferons encore des frites dans trente ans,* intervint B. *Les gens du Nord continuent d'en raffoler. Il n'y a que Mauroy, le maire, qui voit dans notre activité un commerce polluant pour sa ville. Il a multiplié les règlements dissuasifs. Je serai le dernier des friteurs. Je m'en fous, je suis riche. Quand je pars en vacances, je mange dans les restaurants à trois étoiles.* »

Lui aussi. C'est une manie régionale. Le bourgeois flamand s'alimente quand il est sur ses terres alors qu'il gueuletonne volontiers dès qu'il n'aperçoit plus son clocher. Est-ce parce qu'il déteste être vu bambochant, dépensant en mangeailles le bien de la famille, festoyant avec les bénéfices de la filature, tandis que le peuple ouvrier guette aux fenêtres jalouses ? « *Les M., une des grandes familles de Roubaix, font un scandale quand chez moi l'addition dépasse les deux cents francs par tête,* se plaint Loïc Martin, un des bons restaurateurs lillois. *A Paris, pour le même menu, ils sont ravis de dépenser cinq cents francs et doublent le pourboire.* » Telle serait l'origine de la pauvreté gastronomique attribuée au Nord. Le plat pays n'aurait pas enfanté de grande cuisine faute de bourgeois assez munificents pour la faire prospérer, au contraire de ce qu'on peut observer à Lyon par exemple.

Même au début du siècle, quand les deux cents familles de Roubaix-Tourcoing, les industriels du textile, faisaient l'économie française et défaisaient les ministères, ils donnaient chez eux des repas de bonniche : chaque dimanche au château, la fidèle servante, la vieille Flavie, servait la même sole soufflée à toute la tribu, une cinquantaine de descendants rassemblés autour de l'aïeul fondateur de l'empire lainier. Mais s'exhiber au restaurant, holà ! Bocuse lui-même ne serait jamais devenu le cuisinier-soleil s'il avait exercé sur les rives noires de la Deûle. Il ne fut ni ne sera jamais de monarque en Flandre que le roi de la frite. Vous avez reconnu B., le susnommé ? En fait, il n'est que baronnet. Près de Lille, à Armentières, sur la grand-place, le roi des rois de la frite, dont l'Histoire ingrate oubliera le nom, débite trois fois plus de tonnage que B., et dans une roulotte ! Baraque à frites, baraque à fric.

Un jour (par quelle mésaventure ?), Gault et Millau arrivèrent à Lille. La rumeur dit qu'ils cédaient aux pressions plus qu'amicales du maire Mauroy, lequel tenait à avoir dans sa ville des tables couronnées. Mais à Lille, à qui diable remettre les toques consacrées ? Je n'aurai pas le mauvais goût d'imaginer que les duettistes songèrent à notre ami B. du Bar-Express. L'imagine-t-on, Henri, passant le sel à Christian pour que, les lunettes à mi-nez, icelui teste la frite au banc d'essai avec et sans piccalilli ? Les compères découvrirent une poignée de jeunes chefs humiliés de travailler entre terrils et filatures et qui attendaient le messie. *« Nouvelle cuisine »,* leur lança Gault. *« Nouvelle cuisine »,* martela Millau. *« Nouvelle cuisine »,* répétèrent les jeunes chefs envoûtés. Le Nord, qui n'était qu'à la frite populaire et à la chère bas-bourgeoise, s'entrouvrit à la gastronomie-chichi. L'événement eut lieu au début des années soixante-dix. Les jeunes chefs firent des feuilletés, des papillotes, des étuvées. Ils obtinrent leur petit succès dans les guides. D'où vient donc aujourd'hui que ces chefs défrisent ?

« Les guides nous boudent. Ils nous font payer la laideur du Nord », s'emporte Waterlot, le grognard de la Devinière. En effet, dans les classements gastronomiques, la cote des Lillois a stagné. Ils n'ont jamais atteint le septième ciel quand Gault et Millau leur avaient fait miroiter la lune. Les cuisiniers du Nord sont-ils punis de travailler dans une région ingrate ? Waterlot le soutient mordicus et charge sabre au clair : *« Sans parler de moi, prenez mon collègue Bardot. Il compte parmi les plus grands. Mais il a mis un siècle pour arracher sa deuxième étoile au Michelin, alors que, s'il travaillait sur la côte d'Azur, il serait parmi les stars. »* Bardot tient le Flambard. Homme tranquille, avec des silences de buveur de bière, Bardot donne en effet à manger beau avec des manières de grand, de cuisinier à trois étoiles. S'il ne les a pas, à qui la faute ? L'ostracisme dont souffrent les chefs du Nord n'est pas la seule raison.

Il se pourrait aussi que le peuple de France conçoive de l'humeur à manger la même cuisine de Dunkerque à Tamanrasset. Si j'étais bonhomme Michelin, je dirais à Bardot, à Waterlot, aux autres, qu'ils seront de vrais lions des Flandres quand leur cuisine goûtera le poireau plutôt que le basilic. Lorsqu'elle traduira la puissance nourricière des plaines du

Nord et de l'Artois — *« un chant de force légumière »*, rapportait Curnonsky — et non les délicatesses parfumées des garrigues. Quand elle sentira le hareng de Boulogne et plus le rouget de Lille. Allons enfants de la gastronomie, contre la dictature du kiwi, l'étendard sanglant est levé.

A Lille se sont ouverts une demi-douzaine de restaurants honnêtes et sans autre prétention que d'être régionalistes — le Septentrion, le Hochepot, la Provinciale, pour les plus connus —, qui justement ont ressuscité les vieux plats du Nord. Ni frite, ni sole soufflée à la Flavie, qu'on se rassure. Non, la cuisine flamande du siècle dernier, le terroir oublié, la cuisine qu'étouffa la dictature du charbon et du coton. La cuisine rurale d'avant la révolution industrielle, laquelle, en piétinant la culture paysanne, fit oublier aux Flamands de France jusqu'à leurs patois et leurs goûts. Les restaurants régionalistes servent des goyères au maroille, des potjevleisch, des carbonnades, du hochepot, du coq à la bière, de la lotte aux chicons, du lapin aux pruneaux, des pommes à la belle flamande, des palets au potiron, des crêpes à la cassonade. Pourquoi faut-il que les bons chefs lillois, les anciens protégés de Gault et Millau, soient les derniers à ricaner encore du réveil du terroir ? *« C'est ridicule d'en faire une tartine »*, s'emporte Waterlot, tandis que Bardot concède : *« Les vieux livres de recettes montrent que l'ancienne cuisine flamande équilibrait bien les goûts. Sans doute faut-il que nous l'allégions pour l'interpréter à notre façon. Je vais glisser des touches régionalistes dans ma carte mais sans trop le dire. Les clients bouderaient. »*

Les clients ont toujours bon dos. J'insistai : vive le terroir ! Alors ces mêmes chefs se firent une douce violence pour me faire plaisir. Bardot me troussa un waterzoï de poulet. Loïc Martin me farcit un pied de porc à la bohainoise. Gilbert Lelaurain me flamba un rognon au genièvre. Et même Waterlot le bougon, suprême espoir dans une dernière pensée, me promit pour une autre visite une terrine d'anguilles à la buschbier, que tout annonce aussi délicieuse que les autres maudits plats régionaux arrachés à ses compères de chefs. Vive la cuisine flamande ! C'est un Flamand qui vous l'écrit.

INTERLUDE

Heureux qui comme Gourmet a fait un long voyage
Et s'en est retourné affamé à Lyon
vivre entre Rhône et Saône le reste de son âge

A son usage, la vraie recette
du fameux saladier lyonnais :
Passez Bocuse, le primat des gueules,
à la moulinette
Hachez finement Troisgros, Chapel et Blanc,
ses coadjuteurs
Mouillez de plusieurs tonneaux de bourgogne
et de beaujolais
Liez avec le sang d'un chapon de Bresse
Servez avec une fricassée de cèpes

Où l'on saisit qu'il ne faut lésiner en rien,
ni sur la marchandise ni sur les chefs,
pour bâtir la capitale mondiale de la gastronomie.

Pourquoi Lyon ?
Parce que c'est bon

« Lyon, capitale mondiale de la gastronomie », affirme Curnonsky en 1934. Il y a déjà un demi-siècle. Mais aujourd'hui ? J'y viens. Avant, je voudrais vous parler de monsieur B.

— Minute le journaliste ! Vous vous trompez de sujet. Pourquoi parler de ce B. ? Revenons à nos cochons et cochonnailles, à la fantastique charcuterie locale, aux " lyonnaiseries ". Allons droit à Lyon, chez les mères-cuisinières, chez Bocuse le magnifique. Parlez-moi de la soupe aux truffes, de la poularde demi-deuil et du tablier de sapeur... les grandes recettes de là-bas. Savez-vous que j'en rêve chaque jour dans mon étude entre des " ci-devant " et des " je soussigné " ? Moi, votre grand ami, le notaire de Lamotte-Beuvron, je l'avoue, je me rêve notaire à Lyon. Dans son douillet restaurant, connu du monde entier, la brune Jacotte Brazier me gâterait de " bonjour, maître ", longs et pulpeux en bouche comme un pommard rugien. Devant la minceur essentielle de ses pommes sautées, je craquerais. Chez elle, la conversation des truffes et du tartare j'écouterais...

— Donc, parlons de monsieur B.

— Enfin, monsieur le journaliste, ménagez vos effets pour des personnages plus goûteux. Parlez-moi de la Monique, qui tenait rue Pizay le plus authentique des bistrots lyonnais, des " bouchons " comme on les appelle. Dites-moi que pour ses ragoûts vous négligeriez votre article. Aviez-vous vu ses jambes ? Et savez-vous que parfois elle oubliait de mettre son jupon ?

— Donc, monsieur B. est un bon Lyonnais. Gris, telle sa ville. Calé dans son gilet à trois boutons, comme Lyon la pansue entre Perrache et Croix-Rousse.

— Bravo, vous voici enfin au cœur du sujet ! Entre Perrache et Croix-Rousse : dans la presqu'île lyonnaise, le triangle du gourmand, la plus forte concentration au monde de bonnes tables. Je cite : Vettard, Nandron, Léon de Lyon, Bourillot, Henry, Daniel et Denise. Et n'oubliez pas l'avantage primordial de Lyon, tous ces bistroquets : le Vivarais, la Tassée, Tante Paulette, le Café des fédérations, Chez Georges, je ne les donne pas tous. Tous ces bouchons où l'on " mâchonne " ; où sur un coup de beaujolais l'on s'empiffre de la fameuse charcuterie locale avec soin apprêtée ; où depuis Curnonsky les saladiers lyonnais ont la même fraîcheur malicieuse ; où l'andouillette ne laisse pas d'accomplir les mêmes fonctions conviviales...

— Donc, monsieur B. m'emmena déjeuner. Quel honneur il me faisait là ! Dans son ordinaire, monsieur B. ne mange qu'avec ses connaissances, les mêmes depuis trente-trois ans qu'il est fondé de pouvoir dans une banque. En bon Lyonnais, monsieur B. est un homme de fortes habitudes et de petites rancunes. Il s'assied chaque midi à douze heures à la table du milieu de la rangée droite, au premier étage du bar du Négoce. En me guidant vers ce lieu de culte, monsieur B. m'avait livré la pensée qui est le suc de la vie lyonnaise : *« Je me mets toujours à table avec plaisir, je la quitte avec regret. »*

— Enfin, monsieur le journaliste, assez parlé de ce raseur ! Confirmez-nous plutôt la bonne nouvelle : qu'à Lyon, le terroir du bien-manger s'étend maintenant au-delà de la presqu'île, que toute la ville succombe au péché de la gourmandise quotidienne. On m'a parlé de Chez Lily, dans le troisième arrondissement, où les soufflés de la patronne sont *« d'une étoffe toute plumeuse »* ; de la Tour rose, où Chavent *« conserve le secret des dîners somptueux »* ; d'Orsi, le maître des cuissons, où *« la carte prend de plus en plus la pause du classicisme, à moins que ce ne soit la pause de ses propres succès »*. Je cite là ce que le critique François Werner dit dans son guide *les Bonnes Tables de Lyon*. Voilà qui est bien écrit et donne faim, tandis que vous, avec votre monsieur... Comment l'appelez-vous ?

— Monsieur B. Avec lui, je déjeunai sans rien changer au petit ballet de ses manies lyonnaises. Salade de pied de veau, côte de porc, gratin de macaronis et gâteau lyonnais. De la

« nourriture corpulente », ainsi que la définit le critique Werner.

— Corpulent ? Bien trouvé : ça, c'est Lyon ! Excellent, ce Werner. Comme dit aussi Ferniot, ce gourmand de journaliste parisien : *« Lyon me donne faim. Je commence à saliver sous le tunnel qui précède la gare de Perrache ou par la route dès la montée d'Écully. »* Pourquoi Lyon ? Parce que c'est bon.

— Mille regrets, notaire : il ne cassait pas trois dents à une fourchette, mon repas avec monsieur B. C'était juste de la solide nourriture, comme il en faut chaque jour au ventre d'un homme bien né. Alors, pourquoi en parler depuis une demi-heure ? Parce qu'en vérité il n'y a pas plus lyonnais que B. dans ses marottes de glouton-gnafron. C'est l'archétype du mangeur local, celui qui fonde la vraie restauration lyonnaise, celle des bistrots, des bouchons. Y a-t-il un gastronome dans la salle ? Gastronome en culottes-bouffes et opéra pour guignolades arrosées : il coule, il coule le vin dans les bistrots de Lyon et sautent les bouchons au bouchon ; ils boivent, ils boivent, les Lyonnais. Et quand ils se sont tant abreuvés qu'il leur faut manger pour affronter d'un pied de navigateur la vie qui est si dure, que font-ils, nos lions de Lyon ? Ils mâchonnent, ils graillonnent, il s'emplissent de ragoûts, de gratins et de charcutailles, histoire que le cholestérol rattrape l'alcool dans leur sang généreux. Telle est la façon commune de manger à Lyon. Comme B. Plantureusement. Et voilà pourquoi je tenais, avec tant d'insistance, à vous parler du monsieur.

Citons encore l'ami Werner, notre chroniqueur gastronomique : *« Le bouchon, c'est un décor, un prix, une pratique, une habitude et un lieu politique. »* Un décor ? Étroit comme un ring où les points se comptent en tournées. Un prix ? N'en parlons surtout plus : il monterait. Une pratique ? Une religion, une idolâtrie de la cochonnaille. Une habitude ? Neuf sur dix des clients d'un bouchon sont des familiers. Un lieu politique ? Un terrain neutre, où dans une promiscuité chaleureuse le patron s'attable avec l'ouvrier, et le flic, avec le voyou. *« Le bouchon est un lieu de première nécessité à Lyon,* soutient Werner. *C'est le seul endroit où, dans une ville dure, les gens peuvent se parler les yeux dans l'alcool. »* On entend dire souvent que les bouchons disparaissent. En fait, ils ont changé d'horaire : naguère ils étaient ouverts dès l'aube pour les petites faims prolétaires et les gros appétits bourgeois ; aujourd'hui ils ne servent plus qu'aux heures de repas. Tout f... le camp.

— Je vous reconnais là, monsieur le journaliste : toujours à pisser votre vinaigre. Même sur Lyon, capitale mondiale de la gastronomie ! Avec votre histoire de B. qui se goberge dans un gras caboulot. Je vous vois venir : il n'y a pas de grande cuisine lyonnaise, il n'y a jamais eu de grande cuisine lyonnaise, allez-vous me dire ?

— C'est fait. J'ai posé la même colle à Félix Benoît, l'historien-humoriste, au chef Jean-Paul Lacombe, à dix autres : *« Citez-moi cinq plats lyonnais. »* Ils ont calé à quatre : après la poularde demi-deuil, la quenelle sauce Nantua, le gratin de cardons et la charcutaille réchauffée, servie dans les bouchons. Fine cuisine que cela ? Faut-il en déduire que Curnonsky avait bu un coup de trop quand il sacra Lyon *« capitale de la gastronomie »* ?

La couronne était méritée et l'est encore. La prééminence de Lyon vient de ce que l'on y trouve à la fois une légion de grands restaurants et l'armée des bouchons populaires. La situation est unique. Au temps du prince Cur, les bonnes tables lyonnaises s'appelaient le Filet de sole, Farge, Garcin, Lamour, Renault, Morateur, Debilly, Surgère, Rivier, Francotte, Buisson, Sorret. Toutes disparues aujourd'hui, à part la mère Brazier et Vettard. *Sic transit gloria.* Bocuse et sa bande les ont remplacées : Bocuse, Nandron, Léon de Lyon, Orsi, Bourillot et une dizaine d'autres.

Que sert-on dans ces grands restaurants puisqu'il n'y a jamais eu de gastronomie lyonnaise ? Du temps de Cur comme aujourd'hui, on y donne la cuisine à la mode du moment, les mêmes plats que ceux présentés sur les autres bonnes tables de France. Hier le lièvre à la royale, maintenant les étuvées de machin et les mignonnettes de truc. Dans cet exercice gastronomique, brillant mais qui ne fleure pas le terroir, les chefs de Lyon ont en plus un avantage géographique : ils travaillent de meilleurs produits car de provenance immédiate. Leur poulailler est dans la Bresse voisine ; leur vivier, dans les étangs de la Dombes ; et leur potager, dans la grande vallée qui court vers les jardins du Sud. Achevons la démonstration, additionnons tout ce qui est réuni à Lyon : de joyeux bouchons, de fines tables, de grands cuisiniers et les meilleurs produits. Lyon a tout pour mériter son titre. Tout plus... Bocuse, le chef qui se conduisit en chef.

— Vous êtes dur avec le cuisinier Bocuse, monsieur le journaliste. *I love Popol.*

— Bocuse, le grand maître. Toutes ces dernières années, il fallait passer par Bocuse pour se faire une toque à Lyon. Le grand Paul est aussi généreux qu'orgueilleux. Vingt ans durant, il s'est entouré de disciples, il s'est fait une école, il a mis ses hommes dans la ville et, avec son art pétaradant de la publicité, il l'a fait savoir jusqu'à Tananarive, ce qui n'a pas peu contribué à asseoir la réputation de Lyon. Et même que Bocuse fut génial lorsque, relayant Curnonsky, il s'écria un jour devant un saucisson chaud : *« Lyon est la capitale des gueules. »*

Des gueules autant que de la gastronomie. Gueule comme la grande gueule de Bocuse. Gueule parce que dans un premier mouvement, à Lyon, on gueuletonne, même s'il arrive de manger avec raffinement aux grandes tables citées. Parce qu'entre Perrache et Croix-Rousse tout un peuple, chaque jour, s'en met plein la lampe, par le jabot, jusqu'à la garde, s'en colle dans le fusil, godaille. L'humoriste lyonnais Félix Benoît m'apparut fort inquiet le jour où je le rencontrai : « *Savez-vous,* me confia-t-il, l'œil noir, *savez-vous que chez Orsi — deux étoiles au Michelin pourtant ! —, savez-vous qu'on n'y sert même plus l'andouillette ?* »

— Ça alors ! concéda le notaire.

Bocuse, grand maître de la franc-mâchonnerie

Il serait attachant, “ monsieur Paul ”, s'il ne se prenait pas pour Bocuse. Encore un portrait du grand chef ? L'homme s'est déjà constitué une bibliothèque des centaines de milliers d'articles où il fait le faraud. L'avez-vous vu ? Bras croisés sur un embonpoint de boyard. Se rengorgeant au soleil de la gloire. Amoureux de la statue de sa grande personne qu'il entend léguer aux générations de cuisiniers. Aujourd'hui tout de même un peu las, la soixantaine venue, de l'obligation qu'il s'est donnée d'écrire sa vie dans le bronze. *« Paulo, où est-ce que tu vas ? »* lui répétait sa mère, mamma à demi italienne, inquiète de le découvrir tel un paon sur la couverture de tous les magazines. Pourquoi un texte de plus ? A cause de deux photos jaunies qu'un soir de confidence monsieur Paul m'a montrées. Elles éclairent d'une lumière nouvelle son personnage agaçant.

Sur le premier cliché, le chef est troufion, engagé volontaire aux côtés des Alliés pour libérer la France. Il n'a que dix-huit ans. Sentinelle rigolarde, il pose sous la guérite avec un camarade qui le tient par l'épaule. Celui-ci mourra au front tandis que Bocuse, mitraillé de près, exsangue, en réchappera par miracle. *« Je n'ai jamais oublié mon pote. Depuis ce qui nous est arrivé, c'est à la vie comme à la guerre. Rien ne m'émeut plus. »* Sous le soldat, brave au feu, perçait Bocuse le chef de clan à l'épaule tatouée d'un coq ; le boss qui allait conquérir Lyon, capitale mondiale de la gastronomie, puis, dans un prompt mouvement, Paris, la France, l'Amérique, le monde, ralliés à sa toque blanche. On reproche à Bocuse de ne plus cuisiner. Autant découvrir que Karajan ne joue pas du trombone. Bocuse voit les marmites comme un maréchal qui observe le champ de bataille à la jumelle. Depuis vingt ans, il suit la même conduite que l'on appellera : la stratégie des trois cercles.

Le premier cercle entoure sa maison, l'auberge du pont de Collonges, entre route et voie ferrée, avec le nom du maître sur le toit, en lettres capitales de néon. On dirait une guinguette pour le baiser après boire et les petites canailleries des bourgeois lyonnais. Elle le fut, d'ailleurs, avant que Bocuse en fasse un repaire, la base arrière, le quartier général de ses offensives. Le chef, qui a d'autres chats à fouetter que les blancs d'œufs, a confié l'exploitation du restaurant à ses deux aides de camp les plus fidèles : à Raymonde, sa femme, son ancienne " marraine de guerre " (comme c'est curieux !), épousée au retour du front ; et à Roger Jaloux, le compagnon de toujours qui après vingt années de batailles communes vient encore aux ordres, raide comme un saint-cyrien. *« Oui monsieur Paul. Tout de suite monsieur Paul. »* Jaloux, qui ne l'est point, fait la cuisine signée de Bocuse. Et Raymonde, qui pourrait l'être — tant le maréchal se flatte d'être un homme à femmes : *« je les préfère dans mon lit qu'aux fourneaux »* —, la blonde Raymonde tient la caisse avec orgueil. A quoi s'occupe le maréchal lorsque, au retour de ses campagnes glorieuses aux États-Unis, il cherche à Collonges le repos du guerrier ? Le maréchal se flatte d'avoir l'œil à tout. Je l'ai vu vérifier la propreté des cuivres, inspecter la coupe de cheveux des marmitons, qu'il veut " réglementaire " ; tâter l'étoffe de leur habit, qui *« doit être d'un bon tissu comme une veste militaire »*. Je l'ai entendu arracher un rabais léonin pour du matériel de cuisine, expliquant au vendeur transi que *« d'équiper Bocuse était un honneur et une publicité »*. Et quand midi et soir arrivent les clients, comptez sur lui : il sera là, derrière la porte, mon maréchal, plus impressionnant en chair qu'en bronze. On l'applaudira. Des admiratrices lui toucheront le ventre quand il passera de table en table. *« Dans un restaurant,* explique-t-il, *la cuisine ne représente que vingt pour cent de la réussite. Le plus important c'est l'ambiance, l'allure du patron. Le grand restaurant est un théâtre. »* Au baisser de rideau, il sera encore près de la porte, mon maréchal, dédicaçant chaque menu, souriant Gibbs pour les petits Nippons. *« Il faut assumer »,* comme il dit.

Le deuxième cercle s'étend à Lyon. C'est la zone directe

d'influence, le comtat bocusien, les marches de l'empire sur lesquelles aucune influence étrangère n'est tolérable. Chaque matin où Dieu le garde sur ses terres, le chef fait le même cinéma. Il monte dans son command-car, flanqué d'au moins trois journalistes qui vont voir ce qu'ils veulent voir : Bocuse s'en allant au marché ; le maréchal courbé sur les étals pour prélever la dîme du prince, le choix du roi, les viandes les plus persillées de Lyon, les poissons les derniers pêchés, les légumes mouillés de rosée, les fromages les mieux affinés. Le scénario est rodé : sous la halle de la Part-Dieu, les marchands de Bocuse, les fidèles fournisseurs, attendent au garde-à-vous, comblés par leur second rôle et prêts à le jouer pour les gazetiers. T'as voulu voir Lyon, t'as vu la mère Richard, par hasard... Mme Richard, la duchesse du saint-marcellin ; et Bobosse, le baron de l'andouillette. Bocuse a fait leur gloire et leur clientèle. En retour, les malins, ils servent la soupe au maréchal devant les journalistes, comblés par tant de naturel ; et qui notent, qui noircissent des carnets devant les autres qui rigolent en douce.

On retrouvera nos reporters à table, le midi ou le soir, chez un disciple de Bocuse. Lyon en est truffé. Le maître a quadrillé la ville de ses anciens apprentis. Pour se faire un nom dans la capitale de la gastronomie, quand on est jeune cuisinier, mieux vaut faire allégeance au sire de Collonges. Sinon, les meilleurs fournisseurs de la halle augmentent sournoisement leurs prix. Sinon, le maître refuse la faveur d'une recommandation auprès des chroniqueurs qu'il traîne à ses basques. Résister à Bocuse est encourir l'ukase, le bannissement : *« J'aurai sa peau à ce petit con »,* rugit le grand Bocuse de Lyon, apprenant qu'un jeune cuisinier, une tête dure, mise sous surveillance, avait osé soutenir, devant l'auteur de ces lignes, qu'il n'avait point Bocuse pour père ni mère. Bocuse est le maître de Lyon, le grand maître de la franc-mâchonnerie.

Le troisième cercle couvre le vaste monde. Il est fort instructif d'étudier de quelle manière le maréchal y a imposé son image. Par quelle manière le maréchal y a imposé son image. Par quelles campagnes laborieuses il est devenu Bocuse pour l'éternité. Longue histoire. Tout commence avec l'autre photo jaunie, la deuxième qu'il m'a montrée. Elle date de l'après-guerre, quand le jeune Paul était en apprentissage à Vienne, chez Fernand Point, l'homme qui dominait alors la gastronomie, de son quintal et de ses marottes princières. Sur la photo, l'énorme Point pose au milieu de sa brigade de cuisiniers. Il trône. Mais, à sa droite, quel est le blanc-bec qui, de son propre aveu, prend le même air avantageux pour se faire remarquer ? Vous avez deviné. " Mon maître ", a écrit le jeune Paul sur le portrait de Point. Il lui doit en effet l'essentiel : la certitude que faire de la bonne cuisine n'est rien si on ne le fait savoir ; que le ramage vaut mieux que le breuvage. Ce qu'il va aussitôt mettre en pratique.

Revenu dans l'auberge familiale de Collonges, Bocuse participe en 1961 au concours du meilleur ouvrier de France. Il l'emporte ex aequo avec trois autres chefs. Pourtant, des quatre élus, lui seul paraîtra en photo à la une de *France-Soir*, énorme publicité. Mais pourquoi lui seul ? *« J'avais déjà plein de potes journalistes »*, explique-t-il. Cette année-là, il obtient aussi sa première étoile au guide Michelin, distinction partagée avec d'autres. Les " potes " de la presse sont au rendez-vous : *« Bocuse le grand »*, titre le chroniqueur Clos Jouve. En 1965, quand le chef recevra la troisième étoile, distinction suprême, les gazettes se déchaîneront : *« Bocuse le triomphateur... La vedette du Michelin... L'ère Bocuse... J'ai étrenné les étoiles de Bocuse : il les mérite. »* D'autres aussi, et qui cuisinent mieux mais dont on parle moins. Qu'a donc le maréchal qui séduise tant les journalistes ? A cette époque, il n'y a que lui pour les distraire autant ; pour faire le pitre devant les objectifs ; pour leur monter de grosses farces : se déguiser en gitan, envoyer aux dames en cadeau des objets cassés ou des boyaux de lièvre, mélangés à la terre d'un pot de fleur. Ces chroniqueurs, qui courent de table en table, ont-ils jamais faim ? Si peu qu'ils s'ennuient. Bocuse a le génie de les emmener en java : la chair après la chère. *« Pour l'un d'entre eux*, confie-t-il, *j'ai même été jusqu'à déguiser une copine en Sheila, comme la chanteuse avec des couettes ; c'était la mode de l'époque : quand je la lui ai présentée, elle feignait de sortir du lycée. »*

Bocuse aura besoin de trois immenses press-books pour ranger les articles que la presse mondiale écrira sur ses trois étoiles. D'année en année, sa réputation enflera. En 1975, il ne lui faudra pas moins de dix press-books ; en 1976, de neuf. C'est que Giscard le président vient de lui remettre la légion d'honneur. Les journaux du monde entier en parlent, jusqu'au plus grand quotidien japonais qui tire à douze millions d'exemplaires. Ce jour-là, Bocuse accède à l'Élysée des cuisiniers. *« Jamais l'événement n'aurait eu un tel retentissement si je n'avais eu l'idée heureuse de profiter de l'occasion pour préparer un repas pour le président. »* Bocuse donnant à déjeuner à Giscard, quel tabac. D'autres grands chefs l'assistaient dans sa tâche. Tous pour un, un pour lui. Monsieur Paul a le sens du geste qui fait les stars. L'a-t-il appris ? Il dit que oui. En regardant les Américains quand, pendant vingt années de suite, il a couru là-bas pour des shows culinaires. *« Le seul reproche qu'on ne pourra pas me faire est de ne m'être pas dépensé. »* Sans doute doit-il aussi son talent de bateleur à ses origines à demi italiennes. Bocuse le Parrain, l'image s'impose d'elle-même. Paulus Imperator, déjà statufié douze fois, dont la dernière en bouteille de cognac, spécialement étudiée pour le marché japonais.

— Ni Escoffier, ni Dumaine, ni Point, les grands cuisiniers de l'autre siècle, n'ont eu leur statue de leur vivant, provoque-t-il.

— Bocuse, en bouteille de cognac ? Ce n'est pas glorieux, même si on peut dire que ça rapportera des devises à l'économie française.

— Ça remplit d'abord mon portefeuille.

— Et l'après-Bocuse ?

— Après Beethoven, qui ? Ce n'était pas son problème. Tiens donc, il est onze heures. Si on prenait un coup de blanc ?

Il n'est pas si mal, monsieur Paul... Quand il n'en peut plus d'être Bocuse. Oui mais voilà, la bouteille bue en frères, voilà que ça le reprend, il veut que moi aussi je lui dresse une statue. Il me montre deux photos jaunies...

Troisgros et pas cons à la fois

Les Troisgros me donnent faim, allez savoir pourquoi. Quand je pense à Bocuse, je m'amuse. Quand je songe à Guérard, je me marre. Troisgros ? Sitôt j'entrevois du gigot, des gâteaux, du meursault. Leur nom sent la franche gourmandise, la gastrolâtrie gidouillarde, la chère joyeuse et joufflue, les nourritures au pluriel. Les Troisgros à Roanne et rôts et rots, vive les gros ! L'affiche la plus appétissante de la France gourmande. Depuis vingt ans elle attire dans ce trou de Roanne plus de cent cinquante convives par jour. Il y a un miracle Troisgros. Ou comment d'un hôtel de gare faire le Panthéon de la gastronomie de sous-préfecture.

Cuisine à quatre mains. Hier, c'étaient Jean et Pierre, les frères qui portaient la toque. Aujourd'hui, après la mort de Jean, ce sont Pierre et Michel, le père et le fils. Toujours en famille sur les photos, comme les hommes politiques avant les élections. Il n'y a pas plus rassurant que les Troisgros posant devant *leur* gare de Roanne, comme naguère Mitterrand devant son clocher de la France tranquille. Ces gens-là n'ont pas leur pareil pour se vendre sans en avoir l'air. Suffit de les regarder : Jean qui avait toujours le blair dans un verre de bourgogne ; Pierre et sa bouille de cuisinier-camembert ; Michel qui, à trente ans, part déjà en brioche comme son père. La belle histoire gourmande débute devant le portrait vénéré du papa. Il s'appelait Jean-Baptiste, joli nom pour un cafetier. Lequel connaissait les vins comme personne mais ne savait pas cuire un œuf à la coque. Qui était pourtant si fine gueule qu'il exigea de ses deux gars, Jean et Pierre, qu'ils deviennent de grands cuisiniers. Les bons enfants aux noms d'apôtre, ils obéirent : *« Jamais nous n'avons eu l'idée de faire autre chose. »* Ils apprirent le métier à la dure chez les meilleurs maîtres. Ils revinrent à Roanne, travaillèrent à fond la marmite et, unis comme deux frères, vite ils méritèrent une étoile au guide Michelin, puis deux puis trois, grâce aux conseils du papa, qui, juge impitoyable, trempait ses doigts dans toutes les sauces.

Travail, famille, gastronomie. L'union fit la légende qui raconte que Jean-Baptiste, le père, mourut à table dans une dernière action de bravoure restauratrice : il beurrait les tartines d'une cliente. Ses fils y puisèrent une force nouvelle. A deux, ils firent contrepoids à Bocuse, leur voisin, partageant sa gloire naissante. A la grand-messe de la nouvelle cuisine, ils devinrent ses diacres. La presse prit l'habitude d'accoler leurs noms. Bocuse, Troisgros, ça glissait sous la plume, ça sentait bon le saucisson chaud aux truffes. Si l'outrance de Bocuse inquiétait, le pluriel des Troisgros rassurait. On était sûr au moins qu'un des deux frères officiait au fourneau si l'autre s'amusait ailleurs.

Lequel des deux cuisinait le mieux ? Bocuse clamait que c'était Jean le barbu, le mince, sans que Pierre le bon gros en prenne ombrage. Famille, je vous aime. Les frangins réglaient leurs comptes au tennis devant les photographes : c'était bon pour l'image. Quand l'un d'eux mourut sur un court, ce fut Jean le maigre (la blague !), comme s'il s'était immolé sur l'autel de la gastronomie pour prouver l'ineptie des racontars médicaux selon lesquels la table tue plus vite que le sport. La haute réputation gourmande des Troisgros fut consolidée par ce sacrifice exemplaire. On n'eut pas le temps de se dire que sans l'un... Déjà le fils de l'autre, Michel, avait coiffé la toque et s'était fait la barbe de l'oncle. Troisgros *for ever,* jamais trois sans deux. *« Avec mon fils, nous perpétuons la tradition »,* dit sobrement le père tandis que le digne rejeton annonçait que les meilleures histoires n'ont pas de fin : *« Mon épouse, Marie-Pierre, et moi-même épaulons aujourd'hui mes parents. La succession est déjà assurée avec la naissance de ma fille. »* Un vrai roman au vin rose.

Longtemps encore, nous prendrons le tortillard de huit heures trente-six pour Roanne. Excusez-moi, lecteur, rien qu'à l'idée de ce petit voyage, je n'en peux plus de gourmandise, je vais bâcler le récit, je suis déjà en gare. Aller à Roanne et, tout au long du chemin, voir la France des gardes-barrières, des bœufs blancs et des jardins ouvriers. Étalonner la santé morale du pays à l'épaisseur de ses poireaux. S'ouvrir l'appétit en musant dans la campagne niversaise si grasse, si verte, si rebondie. Arriver affamé à la gare de Roanne, dont il sera toujours écrit qu'elle fait face aux Troisgros et non l'inverse. Entrer dans ce restaurant trois étoiles, qui n'en a pas l'air et qui en est très fier, avec ses habitués au bar, des gars du pays, qui causent avec le Pierre, le fils à Jean-Baptiste, et qui en sont fort fiers. Se rassurer à voir la brioche des chefs que la table n'a point faibli. Entrer dans l'énorme cuisine conçue comme un théâtre. Applaudir le ballet des casseroles, la danse des marmitons. Passer commande en même temps. Choisir le menu à six plats, à la fantaisie du chef, ailleurs appelé menu " dégustation ", et ici menu " confiance ", là se veut la différence. *« On n'a pas de clients. On n'a que des supporters »,* dit Pierre. Passer à table, écouter le sommelier : la maison a cent mille bouteilles en cave, un capital d'un demi-milliard de centimes, preuve que la qualité du lieu ne manque pas de fondations. Manger *« le contraire d'une cuisine de gonzesse »* (le mot est encore du gros Pierre). Le raffinement est dans le produit, pas dans le décor, ni dans le discours : *« Quand un plat est cuit, il doit être aussitôt servi, même si la pluche de cerfeuil est de travers. »* Attaquer le " grand dessert " qui fut toujours l'orgueil de la famille. Payer le repas plutôt moins cher qu'ailleurs, écouter ce troisgros malin de Pierre qui a l'air de dire que, lui, il trouve que c'est encore trop cher. Lui réclamer une histoire belge, c'est la spécialité du chef, sinon vous l'injuriez.

Ne boudons pas notre plaisir. Chez ces grands chefs qui jouent à rester de bons gros, alors qu'ils sont filous comme trois. Je leur en veux sans doute de me rendre aussi vite à leur gastronomie ventrue, à leur morale replète. Mais assez parlé des Troisgros, ce soir je vais encore manger comme quatre.

Chapel
ou cathédrale ?

A quoi rêve un grand cuisinier ? Une de ces croque-stars que les gourmets béatifient et que les gourmandes baisent au doigt ? Alain Chapel confie :

— Vous trouvez un Japonais qui achète mon restaurant, je me retire dans une auberge au milieu des vignes.

— Vous vous y ennuyez. Vous recommencez tout, vous voulez une étoile au Michelin ; puis deux ; puis trois. Vous refaites la cathédrale de Mionnay.

— Que non ! J'ai été fou de créer une maison comme la mienne. Elle me donne trop de soucis. Je n'ai plus le temps de cuisiner.

— L'auberge de rêve ?

— Toute simple. Quinze couverts sur des tables en bois. Ne faire à manger que pour les amis. Le cuisinier d'avant était une sorte de grand-mère. Maintenant me voici homme d'affaires. Sabotier devenu financier. Dans ces conditions, comment préserverons-nous la vérité de la gastronomie ? Nous n'avons plus avec les clients que des relations d'argent. Dans l'idéal, nous devrions nouer des relations d'amour.

Sacré Chapel ! Il rêve d'une guinguette quand il s'est construit une abbatiale. Il voudrait qu'on lui tape sur l'épaule quand il se pavane tel dalaï-lama. Beaucoup l'aiment froid. Parmi eux, de nombreux chefs agacés par ses prétentions répétées d'être, au-dessus du front embué des marmites, le saint Alain *« du beau, du bon et du vrai »* ; le souverain pontife de la cuisine qui *« est beaucoup plus que des recettes »,* selon le titre provocateur du livre de conseils qu'il a publié.

Est-ce sa cuisine qui indispose ? Chapel connut une réussite fulgurante. A trente-six ans, il obtient sa troisième étoile au Michelin. Des chroniqueurs se laissent aller jusqu'à écrire qu'il est le meilleur. Les imprudents, qui prennent le risque de devoir payer l'addition chez les autres chefs ! Fallait-il que Chapel les éblouisse pour qu'ils vivent aussi dangereusement. Le jeune cuisinier s'est fait un nom à l'époque du pompidolisme gourmand, alors qu'un Auvergnat rondouillard gouverne une France qui se rêve florissante à jamais. A l'époque, le pays fait de la mauvaise graisse, inconscient de la crise qui le guette. Il fête chaque jour la Saint-Cochon et, au milieu de la kermesse, le jeune Chapel arrive tel le dernier messie. Les gourmands sont fatigués d'aller chez Bocuse, Troisgros ou Haeberlin. Ils courent chez le petit nouveau, qui est d'une prodigalité inouïe.

Chapel ne daigne travailler que les poulardes les plus tendres, les homards bas-bretons, les agneaux préalpins, les mousserons de la dernière rosée. Il s'est recruté un réseau de fournisseurs que l'on croirait sortis d'un roman de Zola : Jurine le bougnat; *« champignonniste des bois, des prés et des lisières »*; Testut, le boucher qui parle du gigot comme un poète ivre, des vins ; Ramonet, le milliardaire en guenilles qui vendange le meilleur montrachet ; Marinette, la jolie brune qui livre des poulettes de Bresse *« à l'entrecuisse blanche et douillette »*. Chapel semble avoir fait le vœu de magnificence. Cuisine-t-il des ortolans en brochette ? Il les accompagne d'un ragoût de truffes, servi avec la même abondance que s'il donnait des patates. Il est une sorte de naïf aux quarante gourmands. Il jure que *« le cuisinier qui suit sa nature meurt ruiné après avoir vécu en seigneur »*. C'est le Chapel de la première époque. Celle des saladiers de pieds de mouton ; des pâtés chauds d'anguilles ; des gâteaux de foies blonds de poularde ; et des chapons truffés, flanqués de grives, bécassines et alouettes.

Depuis l'homme a changé, durci. Revenu de trop de rêves, il s'est accroché à des certitudes altières. Le Chapel de la deuxième manière, l'actuelle, est un perfectionniste qui cuisine par touches ; qui à partir d'un mets puissant, dont il se serait autrefois contenté, compose par l'ajout de délicieuses bricoles un plat qui chante à l'œil, avant de parler plusieurs langues au palais. Sa carte est devenue ronflante de mots bariolés qui n'en finissent pas de faire saliver à répétition. Je cite :

Petit ragoût de morilles noires, foies blonds, rosés-des-prés et risotto
Céteaux des sables de Vendée en chaud et froid d'estragon avec une petite salade de fèves de printemps
Deux ris de veau, l'un braisé à brun, l'autre braisé à blanc, avec fondue de jeunes fenouils et tomates vertes.

Est-ce moins réussi ? Chapel s'est plié à la mode et même, dira-t-on, au climat politique ambiant. Après Pompidou, Giscard. Après les nourritures terrestres, les becquées aristocratiques. Après le musette, le grégorien. Le repas à Mionnay a tourné à l'office monacal. Même le restaurant, qui était autrefois une grosse auberge bressane, se donne des airs d'abbaye cistercienne. Avec son cloître sous lequel on dîne en été et son service en salle quasi religieuse. Le dépouillement du lieu invite les convives à la méditation. Pour peu, on leur ferait obligation de se recueillir devant l'assiette, que le père abbé a composée pour eux dans un élan mystique.

Chapel passe-t-il la mesure quand il veut éduquer en même temps qu'il nourrit ? Faut-il qu'un repas soit une communion ? Qu'on mange dans du limoges peint à la main et qu'on boive dans des verres de baccarat aussi incommodes que précieux ? *« J'ai refusé le luxe de mauvais goût. J'ai choisi le raffinement »*, explique le maître. Prétention qui irrite. Pour l'opinion publique, Bocuse, passe encore. C'est un farceur. Et Guérard, parce qu'il fait maigrir. Mais ce Chapel, pour qui se prend-il ? Gaffeur, en plus. Par exemple, il rouspète quand Michelin accorde trois étoiles à des maisons voisines — Blanc, pour en nommer une — qu'il juge un peu légères sous prétexte qu'elles n'ont pas de leur commerce gourmand le même usage canonique que Mionnay.

Faut-il aimer Chapel ? Ce chef qui se grime en bonze, comme s'il avait honte de n'être qu'un formidable cuisinier ? *« Une masse de chair émotive, emballée dans une peau d'orgueil extraordinairement délicate, une vraie peau de chapon de Bresse »*, a écrit de lui sa tante, Fanny Deschamps, la romancière. Chapel est venu à la cuisine parce qu'il avait raté son bac. Il y est comme en religion, serrant sa haire avec sa discipline : l'archimandrite de Mionnay que son orgueil et sa rigueur isolent sur sa cime. S'il n'en reste qu'un pour croire que le Graal est caché au fond d'une marmite... Que *« la cuisine, c'est beaucoup plus que des recettes »*.

Blanc c'est Blanc

« Vous n'êtes pas trop déçu ? » me lâche Georges Blanc, abrupt comme il l'est souvent. Déçu de quoi, puisqu'il faut l'être ? Puisque Georges Blanc, cuisinier à Vonnas, feint de se prendre lui-même pour un personnage falot, bien que distingué par les guides. Déçu par son allure, voici qu'il insiste : il n'a pas le physique d'un grand chef, qui doit être énorme ou très beau ou de noble prestance. Imposant en un mot, tandis que lui, Blanc, il se trouve une bouille de bébé-Guigoz émergeant de ses couches-culottes. *« Le petit Blanc »,* comme l'appellent les autres cuisiniers, hier moqueurs mais aujourd'hui jaloux : le petit Georges est leur affreux Jojo.

Pissant en douce sur la statue du commandeur : *« Bocuse n'a pas marqué l'art culinaire autant qu'on le dit. »* Couvrant de graffiti les monuments gastronomiques : *« Lyon n'est plus ce qu'elle était. On y mange vieillot et lourd. »* Chipant — crime suprême — une partie de leurs clients aux grands chefs ses voisins, Chapel, Bocuse, et à d'autres moins illustres. Ce petit Blanc, qui se dit bien pâlot, fait salle comble dans ce trou de Vonnas quand les autres, les stars, poursuivent les chalands jusqu'aux Amériques. Jalousies. J'en connais quelques-uns qui l'accommoderaient aux petits oignons, le blanc-bec.

Mais l'accusé lui-même s'accuse. Insistant : *« Vous n'êtes pas trop déçu ? »* Veut-il donc que je dise que je l'aime ? Ah, les chefs, quelles coquettes ils font ! Même celui-ci qui, ne pouvant se déguiser en provocateur comme Bocuse ou en pâtre pensant tel Senderens, se campe en petit chef d'entreprise raisonneur et raisonnable, plus fier de son chiffre d'affaires que de son étuvée de grosses langoustines aux herbes et gâteau de champignons, laquelle est pourtant succulente.

« Vous n'êtes pas trop déçu ? » S'il continue, je vais lui trouver toutes les qualités. Bon, il est “ taiseux ”, ce Blanc, mais il parle avec ses petits yeux noisette qui en disent long sur sa malignité. Certes il est expéditif, mais avec lui blanc c'est blanc. Peut-être manque-t-il de présence quand il vient au restaurant, mais faut-il que les cuisiniers, cédant à une mode envahissante, posent leur cul sur la table au début du repas et n'en décollent pas avant d'avoir narré, par le menu, leur vie illustrissime et aventures mirifiques ?

Déçu ? Je cherche. Non. Les Établissements Blanc sont un endroit assez extraordinaire, l'un des plus distingués de la restauration française. Avec fines tables et chambres douillettes sur une rivière tendre, où pleurent les saules et frétillent les goujons. Avec piscine tiède et tennis rose dans un écrin de verdure. Cette merveille gastro-aquatique est le fleuron d'un village fleuri. Pas déçus les clients, en tout cas, mais se bousculant. Taux annuel d'occupation des chambres : quatre-vingt-dix pour cent, l'hiver comme l'été. Loin devant les grandes chaînes hôtelières, les Hilton, les Méridien. Réservation des tables : conseillée deux mois à l'avance.

Une idée simple préside à cette réussite exceptionnelle, il était une fois un petit Blanc, qui était le fils à sa maman, la “ mère Blanc ”, fameuse cuisinière bressane, laquelle avait depuis belle lurette deux étoiles au Michelin quand Bocuse n'en avait point. Blanc, fils de Blanc, aubergiste à Vonnas depuis 1872. La bonne adresse, où les soyeux de Lyon venaient pincer les fesses de leurs coquettes sur une fricassée de poulette à la crème. Adoncques Georges Blanc, fils de..., prit la tête de l'établissement à peine marchait-il sur ses vingt-cinq printemps.

C'était en 1968, année de remue-méninges et casseroles. La révolution de la nouvelle cuisine pointait à l'aube glorieuse. Elle confrontait le petit Blanc à des choix auxquels rien ne le préparait : ni l'éducation de stricte orthodoxie saucière dispensée par sa mère, ni l'enseignement économique qu'il avait suivi dans une école hôtelière. Ce petit Blanc paraissait bien fluet, et les nouveaux toqués de la corporation, le clan à Bocuse — auquel il était trop fier pour faire allégeance —, opinaient qu'il n'irait pas loin. En effet, quand il s'aligna au concours du meilleur ouvrier de France — lequel est à la science culinaire ce qu'est l'agrégation au savoir universitaire —, le petit Blanc fut recalé. *« Je n'étais pas de l'école au grand Paul »,* se souvient-il avec un reste d'amertume.

Il voulut sa revanche, à sa manière, toute de prudence et de calcul. Raisonnons, se dit-il : en quel genre d'établissement fallait-il transformer la bonne auberge de la mère Blanc ? La mode était certes au manger kiwi, mais aussi au temps libre, aux loisirs. L'idée novatrice n'était-elle pas de marier l'excellence de la table au luxe du gîte ? D'adjoindre un hôtel grand luxe au bon restaurant que les autres chefs se contenteraient d'avoir ? Les chambres lui rempliraient les tables et inversement. *« J'ai bâti une maison agréable,* explique-t-il. *Une maison où les gens se détendent, font un tennis, nagent et se préparent à ce moment de fête qu'est un repas à une grande table. Au bout du compte, comme ils ne font pas que manger chez moi, à qualité de cuisine comparable, ils reviennent plus souvent que chez les autres chefs. »*

Bref, la réussite à quarante ans : les trois étoiles, la Mercedes, tout, sauf la sérénité. L'avez-vous suivi, Georges Blanc ? Il court après les rayons de ses étoiles, tel un petit homme qui n'en finirait pas de décrocher des lampions. Aussi méticuleux aux fourneaux qu'en affaires. Cuisinant comme d'autres calligraphient : sans bavure ni rature, refusant qu'une sauce un tantinet clairette ou une cuisson un soupçon trop rose entache la perfection pointilliste de ses plats. Cuisine à la japonaise : d'intelligence plus que d'inspiration. Gastronomie à l'ordinateur.

Mais étais-je déçu ? Blanc insistait. Oui, je l'étais. Il pleuvait le jour de ma visite. Franchement, il est inadmissible que Georges Blanc, futé comme il est, ne se soit pas entendu avec Dieu pour qu'il ne pleuve jamais à Vonnas.

En Beaujolais, le pays où la soif donne faim

Je l'ai promis à ma mère. Je n'irai plus chez ces gueulards du Beaujolais. Maman aime les bonnes manières, alors que ces gens-là, monsieur, ils biberonnent, saucissonnent jusqu'à des heures, monsieur, que si ma mère savait que l'autre nuit encore j'étais attablé avec eux à chopiner, à brichetonner, à me boyauter, elle pleurerait que je fais honte à mon père, qui était pourtant franc du gosier. Ne le racontez pas, monsieur — que l'histoire reste entre hommes —, mais ma dernière virée en Beaujolais, sacrédieu ! La prochaine fois, nous nous cacherons pour y aller ensemble.

D'abord chez le père Ducloux, qui tient le restaurant Greuze à Tournus, à mi-chemin de Pommard et de Chiroubles, ce qui lui donne deux raisons plutôt qu'une de lever le coude. La dernière fois que je fus chez lui, c'était sous le prétexte d'enquêter sur la cuisine au vin. Il en tira aussitôt argument pour ouvrir une bouteille de mâcon blanc et ronchonna :

— Petit gars, moi je m'en vais te dire la vérité ! Les restaurateurs japonais ne seront jamais de grands cuisiniers parce qu'ils ne boivent pas.

— Ah bon ?

— Si t'es pas capable de te mouiller un peu le matin, jamais t'auras envie de te taper un petit salé à dix heures.

Tel est selon Ducloux le propre des grands chefs, ceux de Lyon, du Beaujolais et de Bourgogne du moins : d'avoir plus souvent faim et soif que les autres ; d'être *« ben gueulards »* aux deux sens du mot ; d'aimer chanter *la Madelon* en mangeant de l'andouillette.

Ce soir-là, le père Ducloux pécha par l'exemple. *« Vous êtes bien venu pour m'interroger sur la cuisine au vin. Ma femme n'est pas là,* trancha-t-il. *Alors, la meilleure manière de vous répondre est de manger ensemble. »* Il commanda à son chef en second une litanie de plats dont je ne veux même plus me souvenir. Vous ne le connaissez pas, monsieur. Le père Jean est le cuisinier français le plus haut en couleurs. Miro et sourd comme un pot, avec sa casquette de loulou, sa chaîne d'or et sa dégaine de marchand de nougat. Avec sa garçonnière du bord de Saône, douillette comme un bordel texan. Avec son orgue de foire qu'il fait hurler les nuits de pleine lune jusqu'à faire tressauter les tuiles de la cathédrale romane. Il ne s'en excuse pas, monsieur. Il aime trop ça, monsieur, la vie à table avec ses potes. Il n'est pas de ces *« tziganes »* de la nouvelle cuisine *« avec leurs petits ragoûts et leurs molles purées ».* Son plat de roi est l'œuf en meurette, qui *« est rien du tout à faire »,* mais qui en dit plus long que les ravioles de langoustines sur le talent d'un chef.

« Un œuf en meurette, ça doit se tenir tout de même, s'emporte le père Ducloux. *Il faut avoir préparé à l'avance une bonne réduction de vin rouge avec des carcasses de volaille. A part, vous pochez les œufs dans de l'eau vinaigrée. Meurette ne veut pas dire bouilli dans du vin chaud. Enfin vous disposez les œufs sur des croûtons dorés au beurre et vous nappez avec la sauce au vin. Moi, j'y ajoute quelques lardons tirés de mon saloir. Pas besoin d'y mettre du caviar. Je vais vous dire : le grand défaut de l'œuf en meurette pour beaucoup de chefs est que ce n'est pas un plat cher. »*

Ayant bien parlé de la sorte, Ducloux trancha qu'assez bavardé de cuisine pour la nuit. Il commanda des bourgognes au sommelier, jura très fort parce que celui-ci lui apporta des vins capiteux quand il les aime gouleyants, n'en descendit pas moins quelques bouteilles. Vous préciserai-je, monsieur, qu'au petit matin, je n'avais pas les idées claires sur les grandeurs et servitudes de la cuisine au vin. Par bonheur, j'avais rendez-vous avec Gérald Cortembert. Je vous y emmènerai, monsieur. Entre hommes, bien sûr, car en Beaujolais, il n'est de place pour les belles que dans les chansons à boire. Les voyez-vous, nos petites sucrées, s'attaquant à l'andouillette, aux foies blonds de volaille, au rural coq au vin ? C'est là cuisine trop plantureuse pour elles qui ne jurent d'ordinaire que par les courgettes-fleurs et les feuilletés mignons. Donc, chez le solide Cortembert, à Fleurie, nous irons. Autant que le père Ducloux, l'homme a du caractère, ce qui semble un des traits des chefs de la région.

Cortembert m'accueillit avec des grâces de bouledogue. Sa fricassée de volaille au vin de Fleurie se révéla d'une virilité aussi franche. Il m'en bougonna la recette. Le croirez-vous, monsieur ? Pour faire sa fricassée, cet athlète des fourneaux ne soulève pas moins de soixante litres de Fleurie dans un chaudron qu'il porte sur un grand feu. Dès que le vin bout, il l'enflamme, fait flamber l'alcool pendant un bon quart d'heure, ajoute du fenouil et laisse réduire le tout jusqu'à ce que, des soixante litres, il ne reste que moitié. Pendant ce temps pèle des oignons (un seau entier !), les met à fondre avec un hachis d'ail et un plein saladier de lardons blanchis. Mélange à cette préparation les trente litres de vin réduit pour obtenir la base de la sauce. Attrape quelques énormes coqs de Bresse, tranchés en quartiers et pendant une journée mis à mariner. Les fait gaillardement rissoler. Puis les mouille sans mollir avec la sauce préparée. Les laisse mijoter une heure. Le lendemain, les recuit une heure. Et le troisième jour, enfin, les sert après les avoir réchauffés à la commande. Car il ne serait de bon coq au vin que cuit trois fois au moins.

« Je fais la cuisine que j'aime manger, confessa Cortembert, l'Hercule du piano. *J'aime ce qui est en sauce : le navarin d'agneau au vin, la pièce de bœuf vigneronne, l'andouillette au beaujolais blanc. »* A cette évocation, le bon Cortembert se détendit : *« C'est qu'à force de vous parler... Vous êtes tout de même ici au pays du fleurie. Qu'est-ce que vous diriez d'un petit coup avec quelques rondelles de saucisson ? »* La journée commençait mal. Tenez-le-vous pour dit, monsieur, si vous m'accompagnez un jour en Beaujolais, ce pays où la soif donne faim.

Car cet opéra-bouffe de la faim sans fin, de la faim du vin et du vin de la fin, on me le rejouera plus tard dans l'après-midi. Le devoir, rien que le devoir, je le jure, m'avait conduit à Chénas, chez Daniel Robin, qui passe pour faire la meilleure andouillette. Le chef avait la bouille ronde, le teint enluminé et l'œil farceur qu'on prête aux vignerons du pays. Je ne m'en méfiais que plus. Robin ne se fit pas prier. Il se servit un verre de vin sans que je puisse lui poser la moindre question. Jésus, Marie, Joseph, je résistai à la tentation, m'accrochai à ma tasse de café et, tel un enfant de chœur obnubilé exclusivement par le sexe de l'andouillette, consignai la recette du chef. *« Choisir une andouillette de vingt-cinq centimètres, faite avec de la fraise de veau. La viande est plus moelleuse que si l'on utilise de la tripe de porc. »* (Marquant la pause, je bus un trait de café, ce dont l'autre profita pour descendre un gorgeon.) *« Cuire l'andouillette au four pour qu'elle rende tout son gras. »* (Hop, encore une lampée, le fourbe !) *« Ôter tout le gras, trancher l'andouillette, mettre à mijoter dans une réduction de vin blanc et d'échalotes. Monter la sauce à la crème et au beurre. »* Robin avait l'air si fiérot de sa recette qu'il l'arrosait, mais pas de sauce.

— C'est vrai qu'il a l'air bien bon, ce petit vin de Chénas que vous buvez, m'inquiétais-je, très professionnel.

— Ben sûr qu'il est ben bon. C'est le mien. Je suis le plus heureux des hommes : cuisinier et vigneron à la fois. Vous me ferez pas le déshonneur de ne pas en goûter un peu.

— Oh non ! Juste un doigt.

Vous savez ce que c'est, monsieur. Quand on met le doigt dans une bouteille, il faut bien la finir, ne serait-ce que par correction, surtout qu'entre-temps Robin avait préparé l'andouillette et qu'une petite faim sans vin, vous connaissez la fin...

J'avais un dernier rendez-vous, de travail — j'ose l'écrire —, avec le dénommé René Besson, charcutier de son état à Saint-Jean-d'Ardières. Je m'inquiétai auprès de Robin de l'adresse précise du susdit. Lui aurais-je demandé où habitait le pape qu'il n'aurait été plus surpris ? J'étais le seul plumitif à ignorer que tous les chemins de la gastronomie mènent à René Besson, dit Bobosse. Bobosse, le roi du sauciflard, le Dieu du jésus, l'idole des médias, le frère de (beaujo-)lait de Bocuse. Bobosse, dont la presse écrit *« qu'il incarne magnifiquement sa région par une joie de vivre et une verve jamais prises en défaut »*. Je devais lui demander la recette exacte du sabodet, qui est un rarissime saucisson de couenne et de tête de porc, mitonné — à ce que j'en savais — avec une réduction de vin liée à la crème et au sang.

Bobosse m'attendait, un collier d'andouillettes au cou, en star toujours pressée de plaire aux photographes. Voici un charcutier qui pousse la conscience professionnelle jusqu'à s'être fait la tête d'un petit cochon rose à la Walt Disney. Ce soir-là, Bobosse avait du vin à l'âme. Depuis l'aube, il enterrait en frère un très cher ami du rugby. Aussi, plutôt que de s'égarer dans d'oiseuses discussions culinaires, il m'invita à partager son deuil. Champagne, monseigneur ! Je résistai, exigeai le secret du rustique sabodet. *« Puisque c'est jour de peine,* gémit le bon copain, *je m'en vais plutôt vous conter les fastueuses cérémonies que j'ai prévues pour mon enterrement. »* Le récit en fut émouvant et si arrosé pour la peine que je me souviens seulement qu'il fut question d'un cimetière en haut d'une longue et rude montée. Les fidèles amis du défunt la graviront à pied avec une halte obligatoire, à mi-Golgotha, devant une buvette où le beaujolais coulera à flots pour que, s'ils vacillent, ce ne soit de douleur.

Quant à mon sabodet... Bobosse conclut que la chose lui tenait trop au ventre pour qu'il la livrât à un messager, qui n'avait jamais trinqué que dix fois avec lui. Nous y retournerons la rechercher ensemble, monsieur. Au rond pays du Beaujolais, dont les chefs sont des enfants paillards. Mais rappelez-vous : pas un mot à ma mère !

Et ronds et ronds, vive les chapons !

Il faisait bon chez la Mémette. La cuisinière à bois ronronnait comme une chatte et la pendule battait doucement les secondes entre les armoires de merisier, comme pour signifier que le temps n'allait guère en ces lieux d'un pas aussi vif qu'à la ville. J'étais au pays des fermettes fleuries, dans cette Bresse généreuse où les paysans mesurent leurs talents dans de picaresques concours de volaille plutôt qu'à l'aune pernicieuse du rendement et des engrais chimiques. Mémette servit du vin de pêche. Et le Sabin, qui aurait l'âge de la retraite mais qui ne crache pas encore sur les bonnes choses, lança :

— Pas étonnant que tu ne sois pas mariée.

— Pourquoi donc ? fit-elle, comme si elle ne devinait pas la blague qu'il allait lui servir.

— Ben parce que tous les gars du pays craignaient que tu les chaponnes eux aussi.

— Que oui si je t'avais coincé le Sabin. Je t'aurais coupé les haricots », menaça la vieille fille, poursuivant pour le journaliste : « Que n'ai-je pas entendu en trente ans d'exercice. J'ai été longtemps la seule à savoir chaponner, c'est-à-dire châtrer les coqs. Une femme célibataire, pensez... N'empêche qu'on a bien rigolé. »

Ils rient encore. Ils n'arrêtent pas de rire, à leur âge qui devient respectable, la Mémette, le Sabin et l'Yvonne qui est la femme du Sabin. Ils rient du pied de nez qu'ils ont fait aux Diafoirus du productivisme agricole. En 1952, avec une vingtaine d'autres “ bouseux ”, ils ont formé le “ Club des lauréats ” pour sauver un chef-d'œuvre en péril : ce monument de gourmandise qu'est le chapon de Bresse. Volaille royale de Noël. Castrat à la chair persillée pour réveillon gargantuesque. La première mention de l'existence du chapon remonte au XVIe siècle. Son élevage se poursuivit sans problème jusqu'aux années de l'après-guerre, époque de grande révolution agricole. Des voix se firent entendre alors pour ridiculiser une pratique " rétrograde et barbare " ; pour prêcher que l'avenir était au poulet mollasson ; pour conseiller l'arrêt des trois fameux concours de volaille, les " Trois Glorieuses ", qui opposent chaque décembre dans l'Ain les chapons les plus gros et les poulardes (les poulettes) les plus grasses élevées en Bresse.

La réplique vint d'une bande de villageois. De la Mémette, du Sabin, de l'Yvonne et de quelques autres encore, tous gars et filles de Saint-Étienne-du-Bois, une zone où les terres blanches favorisent l'élevage des chapons, dont la chair, elle aussi, doit être la plus blanche possible. Saint-Étienne est un pays de fermes minuscules. De " baraquins ", comme ils disent. Si petites qu'en décembre, une fois les maigres récoltes rentrées, elles n'ont d'autres revenus que la volaille. Et, en premier lieu, la vente des chapons et des poulettes de concours, les « poulardes », dont les prix furent toujours aussi rebondis que les formes. *« Nous avons arraché le maintien des Trois Glorieuses. Trente années de lutte, mais hein, Sabin, qu'est-ce qu'on s'est amusé ! »* s'esclaffa Mémette.

Bien fière, elle me mit sous le nez un carnet jauni. *« Je vais vous dire combien j'en ai chaponné de lascars en trente ans. Cinq mille neuf cent quarante-quatre. »* Devant l'hécatombe de mâles attributs ainsi revendiquée, je fermai les yeux d'angoisse. Mémette protesta : *« Mais je ne les fais point souffrir, les poulets. Ils serrent juste un peu les ailes, au moment où j'arrache le testicule. »* A ce moment le père Sabin gloussa : *« Montre-lui comment tu fais, attrape un gros poulet. »*

Nous étions en octobre. Ce n'était plus l'époque idéale du chaponnage. Celui-ci se pratique en été sur des bêtes de trois ou quatre mois *« selon l'état d'avancement de la formation sexuelle de l'individu »*, précisa doctement Mémette. Elle apporta cependant son poulet, *« une bête de roi »*. On le voit à la crête qui doit être rosée. Aux oreillons qui seront sablés. Aux pattes d'un bleu acier bien franc. Signes que l'animal est de chair fine. Avant l'opération, Mémette lui donna à boire deux dés à coudre d'eau claire. Sabin coinça le volatile, dos en bas, entre les genoux. Mémette lui enleva une poignée de plumes sous le ventre juste au-dessous du croupion. Bistouri ! Elle incisa sur trois centimètres, passa délicatement le plus long de ses doigts entre les viscères et la graisse. Et que trouva-t-elle là-haut, presque au niveau des ailes ? les " haricots ", les testicules, qu'elle fit tournicoter avec délicatesse jusqu'à ce qu'ils s'arrachent d'eux-mêmes. Fils et aiguilles. Elle recousut, aseptisa et relâcha le poulet qui s'en fut tout content, tout caquetant comme un con.

« Ben, ça m'a donné soif », dit Sabin. Mémette sortit une fine bouteille de jurançon, tandis que l'autre s'écriait : *« Pour une vieille fille, t'irais pas chercher le bon vin dans la cave du curé ! »* Elle rit encore, Mémette. Elle rit toujours quand elle se retrouve avec ses fripouilles d'éleveurs. Elle s'est mise à chaponner sur le tard pour aider les copains du village. Plus personne ne voulait opérer la volaille. Maintenant, il y a de la relève. Elle peut céder la place aux techniciens d'un centre avicole qui, eux, chaponnent d'une autre manière en incisant entre les ailes. *« Trêve de bavardage,* coupa Sabin. *On mange-ti ? »* Les vieux gourmands. Ils m'avaient préparé une poularde de concours. Je dus admirer la bestiole dévotement. Tâter ses formes, mesurer la longueur du filet, apprécier la finesse de l'épiderme, juger du velouté et de la blancheur de la graisse, presque satinée. *« Surtout préparez-la sans beurre, sans huile, sans herbe, sans rien du tout. La poularde de Bresse ne se cuit que dans sa graisse. Elle se savoure nature »,* avait ordonné Sabin à la Mémette et à Yvonne, sa femme, qui avaient joint leurs forces et leur science pour réussir une préparation parfaite. *« Faut-il la saler avant ou après ? »* s'enquirent-elles, prudentes. *« Hum, la question est d'importance »,* fit Sabin, qui pourtant ne me parut point avoir d'opinion tranchée.

Deux heures nous mangeâmes et quatre bouteilles nous bûmes. Le vin était joyeux et la poularde fondante, exceptionnelle, comme elles peuvent l'être en Bresse. Je fis preuve d'autorité. J'exigeai de mes commensaux, qui pour être sexagénaires n'en étaient pas moins insatiables, j'exigeai qu'enfin ils me montrent comment ils soignent leurs fameux chapons et poulardes de concours. Nous allâmes chez Sabin qui en fait un élevage des plus glorieux. Le bougre, il a raflé tant de grands prix au concours des Trois Glorieuses que, dans ses petits souliers croco, Anne-Aymone Giscard d'Estaing, la présidente, se hasarda naguère à visiter sa ferme.

Énormes et languissants, les chapons blancs se baguenaudaient dans une verte prairie. Sabin en saisit un. *« Celui-ci, il est bien franc »,* dit-il, et, devant ma surprise : *« Bien oui, la crête lui a flétri. C'est preuve que les testicules ne lui ont pas repoussé. »* Car il arrive qu'ils bourgeonnent après l'opération. L'animal, qui se fait la tête d'un coq au-dessus d'un cul de poule, en est dévalué. *« Ils sont moins beaux alors. Mais tout aussi bons »,* intervint l'Yvonne à Sabin. Elle parlait de cœur. En mère pas contente que Sabin, comme un homme, fût toujours là à discourir et à juger alors que l'élevage des chapons et poulardes *« est une affaire de bonnes femmes ».*

Matin et soir, Yvonne prépare la pâtée des volatiles. Elle broie la farine de maïs blanc et la mouille de lait tiédi. Ainsi nourri, l'animal, qui pesait un kilo et demi après l'opération, atteindra bientôt quatre kilos. Au premier novembre, Sabin attrapera les chapons et poulardes. Il les enfermera à l'étable, dans le noir, en cages, en épinettes, où Yvonne les entourera de ses derniers soins amoureux, avant l'exécution. Riz, maïs blanc, blé noir, fromage caillé au menu, dure la vie d'un chapon ! Nourri matin et soir, à heures précises pendant le dernier mois. Et entre les repas, toujours dans l'obscurité, à roupiller au calme, au tiède, pour que graisse blanche se forme. Surtout, ne pas leur donner d'herbes : la chlorophylle fait jaunir les chairs. Du repos et du lait. Durs, les derniers jours du chapon (ou de la poularde élevée selon la méthode). Avec la mère Yvonne, toujours là à vous caresser pour mieux vous surveiller, *« t'as plus faim mon poulet, mange, profite, tu vaux quatre-vingt-dix francs du kilo »,* qu'elle ronronne l'Yvonne. La garce ! Car après : couic ! *« Ma femme, ce qu'elle peut passer comme temps enfermée avec ses chapons »,* s'inquiéta Sabin.

Il y avait longtemps que nous n'avions pas bu un coup. Sabin se proposa d'y remédier, sous le prétexte qu'il voulait m'expliquer *« au calme »,* devant un verre, comment pour les Trois Glorieuses, à la veille du concours, c'est à lui, à lui seul, que revient la tâche de préparer les chapons de la victoire. Il apporta une bouteille de vouvray dans une main et un attirail textile dans l'autre. Parant au plus pressé, il servit à boire. Puis, en grande cérémonie, il déplia des toiles de chanvre et deux calicots fins dont sa grand-mère se servait déjà. *« Attention ! Ici j'entre en action,* s'exclama-t-il. *Boulot d'artiste. Yvonne ne s'y risquerait pas. »*

Précisons d'abord qu'à la veille du concours, Yvonne a saigné les chapons. Elle les a plumés à sec, veillant à ce que nulle écorchure n'abîme la peau diaphane des champions. Entre alors Sabin le magicien. Il emmaillote l'animal mort de calicot et de chanvre comme une momie. Il le serre si délicatement et si fermement à la fois qu'il lui donne la forme ventrue d'un jéroboam de champagne. A la minute précise du concours, il libère le chapon de ses liens. Et, sous l'œil extasié du jury, voici que le volatile apparaît dans sa splendeur virginale, monument de chair lactescente, lisse et sensuel, comme une amphore de marbre blanc. *« Un chapon doit être emmailloté ou ce n'est pas un chapon. Ce n'est qu'un coq châtré,* s'emporta Sabin. Emmailloter, seuls les Bressans savent le faire. »

Sabin critiquait-il le chapon des Landes, produit concurrent ? La chaleur du vin m'emportant, je m'entendis dire que, peut-être, ceux des Landes étaient aussi bons ou presque ; et sûrement meilleur marché que ceux de Bresse, parce que produits selon des règles moins tatillonnes. Sabin me fusilla de son œil bleu acier. Je commençai à craindre que Mémette la chaponneuse, outrée par l'insolence du propos, ne me fît subir les derniers outrages qu'elle pratique avec tant de talent. Mais non, voici qu'ils me donnent à réviser l'histoire. 1862 ? Au concours général de Paris, le jury a classé le chapon de Bresse devant le chapon du Mans, lequel était pourtant le fruit d'une longue tradition de savoir-faire. *« Alors, pensez, ces nouveaux chapons des Landes,* lâcha Sabin. — *Nouveau, tout beau,* hasardai-je. — *Ils n'ont pas le même terroir, là-bas. Un point c'est tout. Le chapon de Bresse, c'est un cru. Le champagne de la volaille. »* Comme nous avions bien bu, l'image coulait de bouteille. Et ronds et ronds, vive les chapons.

La cèpe-connection

Le pandore flairait le bon coup. Le véhicule sentait à plein nez la combine, avec ses flancs peinturlurés par une main naïve. *« Vos papiers »,* demanda le gendarme. Le conducteur se présenta avec jovialité :

— Jean-Marc Jurine, champignonniste des bois, des prés et des lisières. Pour vous servir, mon adjudant.

— Ah, fit l'autre surpris. Ça existe, ce métier ? C'est ben la première fois que j'en entends parler...

— Pardi, je suis le seul à en vivre en France. Et comme vous dites, mon lieutenant : vaut mieux ramasser le champignon que d'appuyer dessus.

— Allez, bonne route ! » salua le gendarme. Et il laissa filer Jurine l'Auvergnat, le caïd de la cèpe-connection. Signalement : la quarantaine moustachue, ventre de déménageur, *« rien que du muscle de comptoir »,* se flatte-t-il. Signe particulier : même au restaurant, il se sert d'un couteau de Laguiole, en forme de pied-de-biche.

Voilà un bail que l'Auvergnat vit de son singulier négoce ; vingt bonnes années qu'il brûle le bitume, à tombeaux ouverts. Faut pas se baguenauder, *« sinon le champignon se met à marcher tout seul »,* comme il dit. Le lundi, Jurine rafle la marchandise dans le Massif central, chez les collecteurs à sa solde. Le mardi, dès l'aube, il livre la came aux restaurants de la capitale. Le jeudi, il est de retour au fin fond de l'Auvergne pour un nouveau chargement. Le vendredi, le voilà à Lyon pour approvisionner les tables étoilées. La spécialité de Jurine est le champignon des quatre saisons. L'hiver, il piste la truffe. Au printemps, la morille et l'oreille-de-moine. L'été, le mousseron et la chanterelle. L'automne, tout le reste : bolets, lactaires, charbonniers, grisets, souchettes, pieds-de-mouton, langues-de-bœuf. L'Auvergnat jouit d'une réputation de premier flingue. Un restaurateur veut-il les tout premiers gyromitres de mars. Il appelle Jurine qui battra la montagne jusqu'à les dénicher. L'Auvergnat a son réseau d'indics. Il a quadrillé le Massif central de ramasseurs à sa dévotion. Des bougnats comme lui, près de leurs sous et secrets comme des tombes, donc imbattables dans la course au champi, laquelle exige une rapidité de prédateur et une connaissance ombrageuse des lunes et des lieux. Avec eux, Jurine tient le Triangle d'or du champignon : de Limoges à Roanne et à Mende. Dans ce périmètre, pas un cèpe qui pousse sans qu'il en soit prévenu par un message codé.

Un jour d'automne, l'Auvergnat m'a emmené dans le Triangle d'or. D'abord nous nous sommes arrêtés près de La Chaise-Dieu, au bistrot d'un village. Nous cherchions le Tonton. Il était attablé devant un canon de gros rouge. A demi saoul comme tous les soirs, un cageot de champignons à ses pieds, qu'il vend au cafetier contre le droit de se rincer gratis. Tonton est retraité, ce qui lui laisse le temps de battre les bois et de rapporter de quoi *« améliorer sa petite pension »*. Dix fois j'ai essayé de savoir combien de kilos il ramassait. Et il me regardait, la casquette mauvaise : *« Dites donc ! Vous ne travailleriez pas dans les impôts ? »* On doit compter autant de ramasseurs que d'Auvergnats. Tous des jarrets maigres, des teigneux, des revêches, aussi causants que le Tonton. Vous leur payez un coup à boire, vous remettez la tournée. Ils n'en seront que plus *botus et mouche cousue.*

Avec Jurine, nous aboutîmes chez la Christine, une drôlesse en tablier, qui tient une ferme-épicerie-buvette. Nous attachâmes ses vaches en attendant le retour de son mari : du Maurice, dit Momo, qui fait le ramassage scolaire, ce qui le met en bonne position pour acheter les champignons trouvés par les ramasseurs perdus dans la cambrousse. Parfois il en rapporte une demi-tonne. Maurice est déjà un gros du circuit ; un collecteur comme le sont la plupart des boulangers et des bouchers du coin. Ces intermédiaires approvisionnent Jurine et quelques autres expéditeurs de moindre taille, lesquels emmènent la marchandise sur les places de consommation.

Momo est rentré tard. La Christine, toute nerveuse, tirait sur son tablier troué. Elle ne voulait pas croire que j'étais journaliste. Elle refusait même que j'inscrive le nom du patelin. Quand Maurice est arrivé, par les chemins détournés, il avait cent kilos de cèpes, de girolles et de lactaires dans son mini-bus. Jurine voulait les avoir. Maurice protestait en biaisant qu'il n'attendait l'Auvergnat que pour le lendemain. Il avait promis de longue date, mentait-il, les champignons à un autre. Jurine tirait une tête de lard. Il criait que Momo et Christine n'avaient même pas la reconnaissance du bas-ventre. *« Et qu'est-ce qui l'achète, votre camelote, le reste de l'année ? »* Jurine a traînassé jusqu'à l'arrivée de son concurrent. Sa figure s'est encore allongée : c'était R., “ le Suisse ”, un gars d'Annemasse, qui peut renchérir sur le bolet parce qu'il le revend aux richards de Genève. La Christine s'est faite tout miel : *« Demain soir, vous aurez vos cèpes, monsieur Jurine. — Et merde, t'en feras des confitures ! »* Il était si colère, l'Auvergnat, qu'il se mettait à causer comme au cinémascope.

La supériorité des champignons sur les autres légumes est qu'ils poussent en une nuit. Le ciel nous fut favorable. Le lendemain, après une averse de pipi de chat, les sous-bois étaient humides et il y avait eu une petite pousse. Nous refîmes la tournée des bistrots, nous retournâmes chez la Christine. Elle nous guettait de sa porte. A nous voir arriver, elle avait l'œil humide. Son Maurice venait juste de rentrer, il avait rapporté de quoi faire. *« Tout est pour vous, monsieur Jurine. »* Et se tournant vers moi, à demi rassurée : *« C'est donc ben vrai que vous êtes journaliste. »*

L'Auvergnat inspecta la livraison, fit le dégoûté, choisit le plus abîmé des bolets, le coupa en deux et, bien sûr, le trouva véreux. *« Pour cette qualité-là, faut pas compter que j'y mette le prix. »* Le jeu recommençait. On pesa les champignons. Jurine décréta la bascule déréglée. On se chamailla, on finit par charger sa camionnette. Il restait à débattre de la grande affaire, les prix. Cette fois, la Christine servait des canons gratis pour affaiblir Jurine. Maurice alignait des sommes astronomiques sur un coin d'enveloppe. Il griffonnait avec un crayon de bois, qu'il suçait délicieusement de temps à autre pour se donner de la réflexion. Jurine menaça de décharger la cargaison. Il allait le faire quand Christine, rôdant autour de la table, glissa un chiffre dans l'oreille de son homme, qui le murmura à Jurine, comme si tous les flics du monde étaient aux aguets par là. L'Auvergnat grommela, sortit quelques billets de cinquante, finit par ajouter des petites coupures. C'était payé, rubis sur l'ongle, comme de règle dans la filière jalouse du champignon.

Le soir, nous livrions la drogue à Mionnay, chez Alain Chapel. Nous avions parcouru mille kilomètres, traversé cent forêts, brûlé autant de feux rouges, contrevenu à tous les règlements ambulatoires pour que les gourmets de Lyon aient leurs cèpes, frais cueillis, à leur petit dîner. Du bois à l'assiette, le prix du champi avait décuplé.

INTERLUDE

Il n'y a pas de pire tour à jouer à un Alsacien :
lui demander quel plat, un seul !
il emporterait sur une île déserte.
Presskopf, choucroute, matelote, baeckoffe
ou tarte flambée ?

Où l'on conçoit que la cuisine du Rhin
reste l'une des plus solides
parce que ce n'est jamais carême
dans les rêves de Hansi.

Alsace, je vote pour toi, les deux pieds dans le plat

Voici un saltimbanque qui vous ouvre l'appétit. Quand il a fini son tour de chant, il crie au public : *« Eh bien, mangez maintenant ! Tous à vos choucroutes ! »* Et quelles choucroutes... Servies en platées monstrueuses. *« Aucun client n'a jamais terminé sa portion »,* plastronne l'artiste en gueule et goualante. Sacré Siffer, chanteur populaire et en même temps, ce dont il n'est pas le moins fier, patron de la D'Choucrouterie, un resto-théâtre du vieux Strasbourg. Voici un intello qui s'écrie : *« Lorsque j'entends le mot choucroute, je sors ma fourchette. »* Une grosse tête qui confesse : *« Je souffre davantage quand un client boude son assiette que lorsqu'il n'applaudit pas mes chansons. »* Il n'y a qu'en Alsace où l'on rencontre des types comme lui. En Alsace où les hommes se rêvent avec le bec aussi fin que les cigognes. Je lance à Siffer : *« Toi l'artiste, tu n'as pas honte d'être gargotier ! »* Lui, interloqué : *« Qu'est-ce que tu veux dire ? »* J'explique : *« Cul et culture, on dit que ça peut aller ensemble, mais bouffe et culture jamais ! »* Siffer, contrarié et déjà la fourchette au fusil : *« Si tu refuses la choucroute, tu remets la culture alsacienne en question. »* Holà ! Alsace, je vote pour toi les deux pieds dans le plat. Choucroute, tarte à l'oignon, matelote ou baeckoffe, qu'importe. Je le confesse : c'est en Alsace que volontiers je me bichonne le ventre ; que je me coucoune l'estomac. C'est à Strasbourg que je strasbouffe parfois jusqu'au cauchemar.

Histoire d'un reportage dont le thème était : " le samedi soir à Strasbourg ". Un confrère m'avait prévenu : *« Le samedi soir ici ? C'est : honore ta femme d'abord. Puis mange et mange et mange encore. »* Mon samedi soir commença le matin. A table, déjà, à onze heures, quand ce ronchon de Lauck ouvrit son Saint-Sépulcre et renvoya au tabac du coin le touriste égaré, le " chatouille-pied " qui lui demandait un café. *« Ici, monsieur, c'est une Winstub ! »* Un lieu de culte bachique, comme il en est une centaine en Alsace. Et où l'on ne sert que du vin avec de la cochonnaille. *« De quoi vous ouvrir l'appétit, monsieur le journaliste »,* pour un vrai samedi alsacien, qui ne faisait que commencer. Après ces dévotions, on m'emmena chez Yvonne, une autre Winstub consacrée. Yvonne est une brune, aux yeux de velours. Je n'ai pas résisté à son jarret-choucroute. Hélas, à peine lui avais-je succombé qu'on me traînait au Crocodile, chez l'ami Jung, un chef si fameux que je craquai pour son flan de cresson aux grenouilles. Et voici que déjà on me tirait dans une guinguette banlieusarde. Car " le samedi à Strasbourg ", c'est le jour de la " flammekueche ", sorte de pizza à la crème, aux oignons et aux lardons.

Je mangeai, nous mangions, ils mangeaient. Et quand j'eus fini d'engouffrer la flammekueche, que me dirent mes guides ? Qu'il était inconvenant de ne pas finir la nuit au Zwiebelstub, une brasserie strasbourgeoise qui sert jusqu'aux matines de la soupe à l'oignon. Puis de commencer le dimanche d'un bon pied à l'Expresso, le premier bar ouvert où, insistèrent-ils, *« pour me refaire une santé »,* je dus les accompagner quand ils burent du schnaps avec une paire de saucisses. Le carillon sonnait la première messe. Je me réfugiai dans la cathédrale voisine tandis que mes cornacs, encore attablés, riaient : *« Ces Parisiens, à table, ils ne tiennent pas la distance. »*

Les Alsaciens que trop ! Jean Deutschmann, le président d'un club de gourmets, s'amuse : *« Quelle est la différence entre les nouilles spéciales qui existent en Alsace et les autres ? Les nôtres sont plus larges. »* Jung, le restaurateur, prévient : *« L'Alsacien, il ne faut surtout pas le laisser sans sauce. »* Tony, le patron de l'Arsenal, une élégante taverne où chaque soir l'intellocratie strasbourgeoise refait le monde sur un estomac de porc farci, appuie : *« A chaque table d'Alsaciens, il faut recharger trois fois la corbeille de pain. »* Tony m'envoya chez Camille Hirtz, un peintre de renom. J'y arrive sur la pointe des pieds et déjà écrasé par les murs de tableaux qui enserrent l'escalier jusqu'au troisième étage où le maître a son atelier. Hirtz, plus colossal qu'Orson Welles, m'accueille assis comme sur un trône. Je bafouille, je jette un œil à la dérobée sur les toiles, j'ose un commentaire, quand l'artiste laisse tomber : *« Vous ne venez pas pour me parler de peinture. Vous vouliez m'interroger sur la gastronomie alsacienne. Comme c'est sympathique à vous ! Sachez d'abord que, chez nous, on gagne en dignité quand on se tient bien à table. Il existe en Alsace une liturgie, presque une morale de la nourriture. »*

Oui, maître, j'écoute. Et je note les dix commandements du vrai, du grand, du fabuleux gourmand alsacien. Dans un restaurant propre tu mangeras. Aux toilettes tu vérifieras et, si nécessaire, grand scandale tu feras. De la serveuse au cuisinier chacun tu connaîtras. D'un nouveau visage t'inquiéteras. De la qualité du siège tu jugeras. Et la largeur de la table tu mesureras. Les mêmes plats que ton grand-père tu exigeras. Des restes tu n'en laisseras. Pas cher tu paieras. Il m'a dit tout ça, maître Hirtz. Et ils me l'ont tous répété, les chefs du Haut et Bas-Rhin : qu'il n'existe pas de gourmand plus tatillon, plus casanier, plus difficile et plus enraciné que l'Alsacien.

Et qui veut qu'on le reconnaisse quand il entre au restaurant. Et qui exige la même table. Et qui s'insurge contre une absence fortuite de la patronne. Et qui ne supporte pas plus de trois " Schpountz " (Allemands) dans la salle. Et qui veut être servi dans la minute. Et qui traîne ensuite à boire bière sur schnaps. A se raconter les yeux dans le verre que chez lui, tout bien ruminé, c'est meilleur qu'au restaurant. *« Le plus grand compliment qu'un client m'ait fait,* ironise Siffer le chanteur, *c'est de m'avouer que ma choucroute était la plus fameuse qu'il ait jamais mangée... après celle de sa mère. »*

Il est des choses à ne jamais dire ni faire en Alsace. Par exemple, enquêter sur celui qui cuisine la meilleure matelote ou le baeckoffe — potée aux trois viandes — le plus onctueux. C'est toujours votre interlocuteur, même s'il est d'ascendance andalouse. Ne jamais défendre non plus la nouvelle cuisine, *« une pratique inachevée pour mangeurs achevés »* (Jung). Ou supplier un chef, qui s'obstine à vous faire goûter toutes ses créations, de les servir en portions chinoises. Deux cents grammes chacune, qu'elles pesaient chez Philippe à Blaesheim, les mini-portions ! Mais il y a pire tour à jouer à un Alsacien : de lui demander tout à trac quel plat unique — un seul — il garderait avec lui s'il était envoyé sur une île déserte. Déjà il blêmit. La sueur perle à son front. Pour se ressaisir, il exige trois verres de schnaps. C'est que, mis en demeure, il a calculé qu'il lui faudrait manger tous les jours et au moins trois fois, surtout sur une île. Il se verrait bien mieux en Robinson à la barque alourdie de choux, de charcutailles, de poissons, de volailles, de viandes, de fromages et de tartes avec quelques fûts de bière et des tonneaux de vins capiteux. Ce n'est jamais carême dans les rêves de Hansi.

J'ai noté le menu d'une petite fête que se préparaient, dès mai pour décembre, plusieurs chefs alsaciens. J'énumère sans en rajouter :

consommé aux quenelles *(« c'est ta mère qui le préparera »)*
bouchées à la reine
pot-au-feu au raifort
saumon froid
pâté chaud d'anguilles
matelote aux trois poissons
faisan à la choucroute
chevreuil à la confiture d'airelles
foie gras en brioche
salade au vinaigre de miel
tartes et vacherins

« Nous nous mettrons à table dès 11 h sans les femmes », projetaient-ils. Pourtant, elles aussi ne pensent qu'à ça. *« Liebe geht auch durch den Magen »* (l'amour passe aussi par l'estomac). A chaque mariage qu'il célèbre, Jean-Pierre Haeberlin, le maire d'Illhauesern, cite le proverbe et offre à l'épousée un livre de recettes régionales. Et tant mieux si celle-ci approuve de sa coiffe noire. Tant mieux s'il me fallait dix chapitres pour raconter la richesse préservée de la gastronomie alsacienne ; si un livre ne suffisait pas à décrire le presskopf, à chanter le baeckoffe, à conter le mischtkraetzerle. Cuisine mijotée, cuisine d'amour, cuisine de mère. Tant pis si mon style manque de ries-

ling pour peindre l'atmosphère *heimelik,* comme chez soi, des Winstub ; pour décrire l'ambiance breughélienne des brasseries où dans sa tête, un peu ivre, le caricaturiste Ungerer voit des matrones enfourchant des choucroutes. Tant pis si la plume m'en tombe rien que d'énumérer les restaurants distingués par les guides. Je ne serai pas de ces faux amis qui insistent : *« Impossible d'aller en Alsace sans manger chez Hüsser et ensuite au Chambard puis chez Mischler avant de passer par chez Jung, de tâter de Westermann et de finir à Illhauesern. »* Je n'ai pas dans la tête d'épouser votre veuve.

A la lecture de ces lignes, je me dis qu'une touche de philosophie en relèverait le niveau au-dessus de l'estomac. Cerner par exemple ce qui fait manger autant l'Alsacien. C'est Siffer, le chanteur choucrouté, qui m'a fourni la meilleure explication : *« On avance comme raison la rigueur du climat. Je penche plutôt pour un motif historique. Mon pays a été si souvent envahi et rançonné au travers des siècles que l'Alsacien se dit encore dans son subconscient que ce qu'il a dans le ventre, c'est toujours ça de pris. »* Au XVIe siècle, les paysans du Rhin priaient : *« Que Dieu nous épargne des Lorrains. »* Aujourd'hui, ils implorent : *« Que Dieu nous préserve de la nouvelle cuisine. »*

La guerre de la choucroute a toujours lieu

Il m'en a parlé toute la nuit. L'affaire était si importante. D'ailleurs, c'est toute sa vie. Il était venu de loin pour en discuter. Il avait laissé ses amis à la chasse, négligé de dîner, franchi un col, traversé le brouillard. Le sujet en valait la peine. Trop de gens en discouraient à tort et à travers. Il fallait rétablir les grandes vérités oubliées. Aussitôt, il m'avait expliqué le problème, cernant le bien avec autorité, dénonçant le mal avec mépris. Les heures filaient mais il me captivait, ce Bernard Hirlemann à la silhouette pataude et qui se révélait gracieux tel un conteur arabe, tant son sujet l'emportait. Sa croisade, faudrait-il écrire : pour la défense et l'illustration de la choucroute.

Hirlemann dirige une des dernières choucrouteries artisanales. Encore un métier qui fiche le camp parce que les petits, face aux gros, l'ont toujours dans le chou. Et que les gros — des conserveries du bassin Parisien — font des gros sous avec des petits choux. Hirlemann explique : au commencement de la bonne choucroute, il y a le chou. Mais pas n'importe lequel. Le vrai, le seul est un énorme chou du nom de quintal d'Alsace. Hélas, il a beau être colossal, il frime, il est fragile de la feuille. Bref, au nom du progrès, le voilà supplanté par un chou hybride venu de Hollande, qui est plus petit mais résiste un peu mieux aux traitements barbares qu'emploient les conserveurs pour faire de la choucroute en boîte. Pour ceux-là, la substitution est rentable, *« mais il a un goût pas net ce chou, jamais il n'aura le bouquet ni la mâche si délicats du quintal »*, opine Hirlemann, qui n'en veut plus, du hollandais, pour ses fabrications. Il est un des rares. Les deux tiers de la choucroute consommée en France, c'est du batave en boîte. Canichou ?

Le chou doit donc venir d'Alsace. Et même de Krautergersheim, qui est à la choucroute ce qu'est Margaux au vin. La ligne bleue des Vosges et la ligne noire de la Forêt chaque jour il verra. A la main il sera récolté, nettoyé et si possible coupé. Décisive, la coupe : en lamelles d'un millimètre d'épaisseur au plus. *« Quand on a l'esprit alsacien, on l'aime longue et fine »* (la choucroute), appuie une prude Strasbourgeoise que j'avais consultée sur cette décisive question. Dans ce cas, pourquoi les restaurants nous la servent-ils courte et épaisse ? Hirlemann a une image de coiffeur : *« Ils la préfèrent grossière, apte à supporter un brushing pour qu'une petite portion tienne une grande place dans l'assiette. »*

Coupé fin, le chou — je poursuis la leçon —, puis mis en cuve et salé à la main d'un geste régulier, auguste comme celui du semeur. Ce n'est qu'en fermentant qu'il deviendra choucroute. Le doigté de l'artisan s'exprime dans la conduite de l'opération. Comme l'œnologue signe son vin, le choucroutier estampille sa choucroute. Il dort au pied des cuves pour en maîtriser la température. *« Je vis avec mon malade »,* dit Hirlemann. La bataille est souvent incertaine depuis que les paysans bourrent leurs champs de saloperies, dont les résidus troublent la fermentation. Choucroute grisâtre et mollassonne à la sortie de la cuve ? Signé : Chimix. La bonne est jaune champagne, elle craque sous la dent. A chaque nouvelle cuvée, maître Hirlemann se livre à des dégustations fanatiques. En cru et en cuit. Celle-ci est-elle d'une acidité princière ou vulgaire ? Point clé de l'appréciation. Quelquefois, ils sont quinze, et parmi eux des grands cuisiniers alsaciens, venus choisir entre cent " leur " choucroute, ils sont quinze chez Hirlemann à chipoter qu'elle est trop ceci et pas assez cela tandis que celle de l'an dernier elle était trop cela mais pas assez ceci. *« Il faut avoir le sens de la choucroute »,* martèle le maître.

A ce point du récit, n'imaginez pas, cher lecteur, que vous voilà sorti des gué-guerres que le plat fumant de vos désirs a toujours provoquées, de Lembach à Aspach. N'allez pas croire que vous savez tout de la choucroute. Car les choses sérieuses continuent. Cuire, maintenant ? C'est un office, une grand-messe, une concélébration : les mots manquent d'enflure pour dire quelle entreprise est cuisiner ce plat gargantuesque. Savez-vous ce qui arriva à la mère de Hirlemann, tant la préparation de la choucroute la troublait chaque dimanche ? Elle se retrouva à l'église non pas avec son missel sous le bras mais avec le morceau de lard fumé qui devait entrer dans le plat.

Ne riez pas. L'heure est grave. Faut-il laver la choucroute avant de la cuire ? Oui, deux fois, opine la brune Yvonne, la propriétaire d'une Winstub chérie par tout Strasbourg. Peut-être une fois, mais jamais à l'eau chaude : ça lui enlève son moelleux, conteste Hirlemann. Faut-il la cuire au saindoux ou à la graisse d'oie ? J'ai dû, sur la question, séparer deux Alsaciens fadas qui se traitaient d'Allemands. Y mettre du vin ou de la bière ? Les fadas voulaient recommencer. Au moins s'accordèrent-ils : jamais de champagne, pratique de margoulin pour vendre à prix double. Et quelles épices ? Je n'oserais vous donner un conseil de peur que vous finissiez dans les choux si jamais, à côté des baies de genièvre qui m'ont paru bénéficier d'une stupéfiante unanimité, vous aviez usé de coriandre alors qu'il n'en fallait point. Mais mille autres gourmands vous jureront le contraire sur la tête de leur grand-mère. Car la recette de la choucroute, c'est de faire comme mère-grand qui faisait déjà comme grand-mère. Hélas, les braves vieilles se crêpaient elles aussi le chignon.

— Et combien de temps tu la cuis, toi ?

— Une heure dix.

— Io, ça se voit que tu es d'Aspach-le-Bas. C'est du chou cru que tu sers à ton homme. A Aspach-le-Haut, Io, une heure un quart qu'on la cuit.

— Io, alors c'est du chou bouilli, c'est pour ça que ton mari te fait la gueule.

Hirlemann, emphatique : *« Quand à la maison on me sert une choucroute trop cuite, c'est la guerre avec la patronne ! Je l'aime blonde et croquante. Pas brune, quelle abomination ! »* Qui croire, maître ? J'ai sous les yeux le texte d'un éloge de la choucroute, rédigé d'une plume caressante par Julien Freund, directeur de l'Institut de sociologie de Strasbourg, une autorité *choucroutis causa* s'il en est. Et que lis-je ? Le contraire de vos mâles propos. Ce docteur Freund écrit : *« Une choucroute pâle de terne appa-*

rence contredit l'esthétique qui reste un élément fondamental de toute gastronomie. Avant de goûter au plat, j'aime contempler le ton légèrement roux du mets qui fume au milieu des assiettes. Dans nos campagnes, on dit : il faut que le lièvre ait pissé dessus. »

Un lièvre à la choucroute ? Miséricorde, quelle impiété m'a glissé de la plume. Malheureux, j'ai failli ouvrir une guerre gastratomique. Car si, cher lecteur qui me suivez encore, de tout ce qui fut dit avant vous avez déduit, ô belle intelligence, l'unique vraie recette pour mitonner la choucroute, sachez qu'une autre sourde querelle vous menace : avec quelle abondance et quelle variété de viandes la servir ? De la viande fumée et salée certes, mais dans quelle proportion ? Et les saucisses : lesquelles ? De Strasbourg, de Montbéliard, de Nuremberg ou de Lorraine ? Avec ou sans quenelle de foie ? Quant au boudin ! Le bon docteur Freund, déjà cité, avoue lui-même sur le divan : *« Ma femme et moi nous ne sommes pas d'accord sur les vertus du boudin accompagnant la choucroute. Elle estime qu'il n'ajoute rien au goût. Je suis par contre d'avis qu'il apporte ce moelleux indispensable qui corrige ce que le légume peut conserver de rêche. »*

Je continue ? Faut-il réchauffer la choucroute ? *« Elle devient la platée souveraine d'une fête sublime »,* écrit Freund. Je répète la phrase à Jung, le grand chef strasbourgeois : il jette sa toque dans la marmite : *« Meilleure le lendemain, la choucroute ? Parce qu'on ne l'avait pas assez cuite la veille. »* Je continue la leçon ? Servie avec ou sans pommes de terre ? *« Avec, sinon vous m'injuriez,* proteste Hirlemann, *mais pas n'importe quelle patate... »* Laquelle, maître ? Et puis zut, lecteur, vous êtes assez fou de choucroute pour la cuisiner seul comme un grand. Et vous méritez une fleur, une phrase de Claudel que vous dédicace le chef Jung : *« L'ange de Strasbourg en fleur rose comme une fille d'Alsace. »* Pourquoi il vous l'offre, le chef, *« avec ses compliments »* ? Parce que cette phrase, selon lui, *« c'est tout la choucroute »* : l'ange en fleur rose comme une fille d'Alsace. Troublant, docteur Freund ?

Maigret et le mystère de la flammekueche

Maigret tendit la main au commissaire Riot. *« Je vous reverrai, mon vieux. Bien entendu, c'est vous qui poursuivez l'enquête. Je ne suis ici qu'en amateur. En gourmand, dirai-je. »* Maigret marcha le long de la Zorn. Weyersheim était désert bien qu'il ne fût que 7 h du soir à l'horloge de l'église. Maigret nota que les cigognes n'étaient pas de retour dans leur nid. Arrivé au pont, il fonça vers l'auberge de René Hansen, poussa la porte, déclencha le timbre qui lui devenait familier et inspira la chaude odeur du feu de bois. C'était l'heure à laquelle Tony le cuisinier se mettait à sortir les tartes flambées comme des petits pains.

La salle de l'auberge bourdonnait. Ce dimanche soir, comme de tradition, les Strasbourgeois s'étaient arrêtés ici, au retour du week-end, pour manger et boire en famille. Maigret accrocha sa veste et s'assit. Un coup d'œil aux tables lui apprit que les dîneurs en étaient déjà à leur deuxième carafe d'edelzwicker et à leur quatrième ou cinquième tarte flambée par table. *« Pourquoi diable l'appelle-t-on tarte flambée ? »* réfléchit Maigret tandis que Hansen l'aubergiste s'avançait vers lui en roulant de grands yeux effarés. Cette mauvaise traduction, “ tarte flambée ” pour “ flammekueche ”, était un des points du mystère qu'il devait éclaircir. Il se trouvait en vacances en Alsace quand il avait reçu un télégramme de Paris : *« Enquêter sur le mystère de la tarte flambée. »* Signé : *« Édith Cresson. »* Mme le ministre du Commerce extérieur était confrontée à un grave problème d'équilibre des échanges internationaux : pourquoi la pizza italienne triomphe-t-elle à travers le monde alors que la tarte flambée alsacienne, de même nature, aussi nourrissante, aussi délicieuse et aussi peu chère, n'a point franchi les Vosges ?

« Vous prendrez bien quelque chose », dit Hansen. Maigret lui fit signe de s'asseoir et demanda sèchement :

— Quelle est votre recette pour la tarte flambée ?

— Je la tiens de ma mère », protesta Hansen. (Décidément, cette manie alsacienne de toujours se référer à la mère pour la gastronomie.) « Une pâte à pain, très très fine, deux millimètres, continuait Hansen. La découper en rectangles de vingt-cinq sur trente-cinq centimètres. Tartiner dessus un mélange de crème fraîche et fromage blanc.

— Pourquoi pas rien que de la crème ? s'étonna Maigret.

— On procède ainsi à Olwisheim, concéda Hansen qui prenait de l'assurance. Mais mettre de la crème seulement, c'est écœurant.

— Et plus cher, s'impatienta le commissaire. Les oignons, crus ou cuits ?

— Crus, en lamelles, disposés sur la crème avec cinquante grammes de poitrine de lard fumé. Plus une giclée d'huile de colza non raffinée.

Suspect, l'huile de colza, pensa Maigret, se souvenant d'une polémique ancienne sur l'innocuité du produit, encore que celle de Hansen était non raffinée, donc, selon les croyances modernes, plus saine car écologique. D'ailleurs, l'autre insistait :

— C'est l'huile de colza qui relève la douceur de l'oignon. Enfournez à four très chaud. Six cents degrés au moins. La tarte cuit en trente secondes, léchée par les flammes du bois qui brûle au fond du four. D'où son nom. D'ailleurs, il vaudrait mieux dire tarte flammée.

Maigret pensa à sa femme. Elle serait déçue de ne pouvoir réaliser la recette sans tricher. Il lui aurait fallu un vieux four à bois. La tarte flambée était une tradition chez les paysans du Nord de l'Alsace. Avant de cuire leur pain, quand le four était encore trop chaud, ils faisaient vite leurs “ flammekueche ” avec les surplus de pâte. Ce n'était qu'au début du siècle que les premiers aubergistes s'étaient mis à en proposer. Aujourd'hui, tout le monde en fabriquait autour de Strasbourg. Maigret avait compté jusqu'à trois établissements spécialisés par village, ouverts seulement en fin de semaine. Et le commissaire Riot, son collègue local, un petit joufflu à lunettes, lui avait glissé les dernières nouvelles dans l'oreille : tous les restaurateurs à demi faillis par la crise s'y mettaient à leur tour. Preuve que ça rapportait gros, bien qu'ils ne reculassent pas, hélas, à utiliser le four électrique.

« Vous devez avoir faim après cette journée », minauda Hansen. Maigret se demanda si l'aubergiste tentait naïvement de le soudoyer. Une tarte ne coûtait que dix-neuf francs, service compris. Déjà Thérèse, la femme de Hansen, apportait l'objet brûlant du délit. Elle avait les traits fins et ses cheveux d'un blond cendré lui donnaient une certaine noblesse. Maigret se demanda longtemps ce que cette intellectuelle faisait dans une auberge. *« Mangez, mangez tout de suite pendant qu'elle est brûlante. »* Maigret ne se fit pas prier. Il vit que tout le monde autour de lui mangeait avec les doigts suivant un cérémonial établi. Partager la tarte en riant, plier sa part et l'engouffrer goulûment. C'était bon, croustillant, un peu suret et vite englouti. Cent cinquante grammes de plaisir simple. Déjà Thérèse revenait avec une autre tarte. *« Je ne m'arrêterai de vous en servir que lorsque vous le direz. C'est la règle. »*

Maigret regarda encore une fois la salle. Les dîneurs en étaient bruyamment à leur quatrième edelzwicker et à leur huitième tarte flambée. On avait l'impression que les pires événements pouvaient survenir au-dehors sans troubler la quiétude de l'auberge Hansen. Le commerce extérieur de la France fléchissait, la pizza triomphait et les Alsaciens continuaient à se bourrer de " flammekueche " sans se soucier de rien. En vidant son verre, Maigret rédigea la réponse qu'il enverrait le lendemain au ministre : *« Aucun mystère. Tarte flambée extraordinaire. Ont bien raison de la garder pour eux. »*

son collègue local, un petit [illegible] à [illegible] les dernières nouvelles [illegible] tous ces [illegible] aussi par [illegible] à leur tour. Heureux que [illegible] portait gros, bien qu'ils ne [illegible] pas, [illegible] leur [illegible].

[illegible] Hanssen Maigret se demandait [illegible] de le soudoyer. Une tarte [illegible] que [illegible] compris. Déjà Thérèse, la femme de Hanssen, [illegible] du début. Elle avait les traits [illegible] ses cheveux d'un blond [illegible] lui donnaient une certaine [illegible]. Maigret se demanda longtemps ce que cette [illegible] dans une auberge [illegible]. Maigret ne [illegible] tout le monde autour de lui mangeait avec les doigts [illegible] un cercle [illegible] droit. [illegible] c'était bon [illegible] un peu [illegible] cinquante grammes [illegible]. Déjà Thérèse [illegible] nait avec une autre tarte [illegible] lorsque vous [illegible].

Maigret regarda encore une fois la salle. Les clients en étaient [illegible] à leur quatrième [illegible] et à leur [illegible] tarte [illegible]. On avait l'impression que les pires événements pouvaient survenir au dehors sans troubler la quiétude de l'auberge [illegible] le commerce [illegible] la pizza triomphant [illegible] de l'[illegible] son verre, Maigret [illegible] la réponse qu'il [illegible] toire. Ont bien raison de la garder pour eux. »

INTERLUDE

Gastronomie que le casse-croûte gascon ?
J'entends déjà les fins becs couiner...
Ils ont raison.
Il n'y a pas de gastronomie gasconne.
Mais une formidable tradition de cuisine paysanne,
encore vivante par miracle.
Et pour les difficiles, il y a Vanel, Daguin
et l'illustre Guérard.
Il y a le cassoulet, olé !
Mais le foie gras, holà !

Où l'on conclut de tout ce qui fut dit
que le bonheur est dans le pré

En Gascogne, à table comme à la guerre

Ici, pour être heureux, il faut une table longue comme un paquebot et deux bancs de bois rude. Il faut être vingt-cinq au coude à coude, devant des assiettes grossières, et, tels des ogres, claquer les dents et s'affûter les meules quand arrivent les viandes en cortège, en quartiers, en tranches, en bouilli, en rôti, en confit, en pâtés, au bouillon, en sauces, au gril, en daube et en salmis. Deux fois de chaque sorte il faut réclamer jusqu'à rendre le souffle, fourchette haute ; jusqu'à combler Dame Fermière qui, du bout de la table plus chargée qu'un comptoir, d'un œil vif vous surveille. Ici, c'est en Gascogne, ou à table comme à la guerre !

J'ai failli en périr mille fois. Gavé par les Gasconnes, embecqué par de maternelles paysannes, engraissé par des nourrices aux courts avant-bras encombrés de marmites et qui de l'homme repu, rotant et apaisé ont la religion émouvante. Vous raconterai-je les pièges affectueux vers lesquels j'ai couru ? Les avalanches de mets plus que de mots qui m'ont enseveli ? *« Vous en reprendrez bien un morceau ? »* Vous raconterai-je par exemple ces trois jours de gargantuesque mémoire ?

Chaque 15 août, des amis gersois m'invitent à la table familiale. C'est la fête au village. Les jeunes gars du pays s'opposent en des luttes indécises, courent dans des brouettes et taquinent les vachettes. Pareille débauche d'énergie requiert une préparation communautaire. Derrière ses jeunes héros et pour multiplier leurs forces, tout le village banquette. Et avec le village, les amis du village : plus on est de fous, plus on mange. Je vous donne le menu du midi :

bouillon à la poule et au tapioca
terrine de porc et pâté de canard
poêlée de cèpes du bois voisin
poule au pot de la fermière
confit d'oie maison
poulet de grain rôti
gâteau au chocolat et croustade.

La course aux vachettes, qui suit le repas, laissera sur le pré quelques concurrents encornés pour n'avoir pas fui avec la légèreté que l'exercice requiert et qu'ils ont perdue Dieu sait où. Alors, au soir de l'affrontement, on soignera les valeureux blessés de la meilleure manière qui soit : en leur pansant l'estomac, en leur bourrant la panse, traitement de nouveau appliqué en groupe pour accroître son efficacité. Je vous donne encore le menu :

bouillon à la poule et aux vermicelles
foie gras d'oie
salmis de palombe
confit
demoiselles de canard grillées
gâteau au chocolat, croustade.

Une année de gloutonne mémoire, le 15 août et la fête du village tombèrent un vendredi. Avec mes amis, nous avions observé la coutume décrite. Nous en étions au dernier armagnac qui requinque les braves, quand le maître de maison, en sa grande sagesse, observa que le surlendemain était un dimanche ; que le jour du Seigneur était une autre fête ; et qu'il convenait de la célébrer avec autant de zèle et de gourmandise que le jour de Marie. Il m'invitait donc pour un dimanche " à table ". Une voix s'éleva alors pour protester : *« Et demain samedi, que ferons-nous ? Demain, ce n'est pas carême à ce que je sache ! »* Et voici que cet homme de bon sens nous convie à festoyer chez lui en l'honneur d'un samedi aussi bien encadré. Vous dirai-je le menu des quatre repas qui suivirent ? Comme à chaque fois, il y eut les sept plats de rigueur, du potage au dessert avec de solides variantes, que l'on se rassure : le foie de canard remplaça celui d'oie, la daube supplanta le confit.

Gastronomie que ces gueuletons gascons ? J'entends déjà les fins becs couiner que ce ne sont là que mangeailles rustaudes. Ils ont raison : il n'y a pas de gastronomie gasconne mais une formidable tradition de cuisine paysanne, encore vivante par miracle, chaque jour observée, transmise de mère en fille et même pratiquée par les restaurateurs du pays. On mange encore gascon en Gascogne et avec quelle assiduité. Le confit reste au menu quotidien plutôt que l'entrecôte ; et la soupe aux abattis de canard au lieu de la purée Mouline. Pratique singulière par ces temps d'uniformité : il faut l'expliquer.

Au commencement du petit miracle est la ferme gasconne. Oies, canards, cochons, couvées : la paysanne a de la viande sur la planche. Dans aucune autre région de France, les exploitations agricoles n'élèvent autant de petits animaux. L'équilibre de la ferme gasconne est fondé sur cette diversité : de petite taille le plus souvent, elle ne tire pas un revenu suffisant de sa production de vin ou de lait. C'est la mise en valeur méthodique des ressources de la basse-cour qui apporte le complément. Le savoir-faire de la paysanne est d'en tirer le meilleur parti. Elle y montre un art consommé. Au jour de la Saint-Cochon, il faut l'imaginer, les manches retroussées et aidée de ses voisines, débitant le goret élevé à la ferme. Tout est bon dans l'animal à commencer par la graisse, qui sert à cuisiner le reste en grande cérémonie. Or par extraordinaire, en Gascogne, il n'y a pas que le cochon dans lequel tout est bon. L'oie et le canard gras offrent le même avantage.

Imaginez encore, sur la longue table de la ferme, la théorie des canards gras à l'heure du dépeçage et, s'empressant autour, les fermières en tablier à fleurs. De la tête et des pattes, elles font de la viande à bouillon. Des ailerons, elles tirent un alicuit, petit ragoût à la tomate. De la poitrine, elles obtiennent le magret. Avec les cuisses, dans la graisse fondue, elles préparent le confit, dont la patiente cuisson est une danse d'amour. Avec le cou, elles font un farci. Avec le sang, la sanguette, galette noire. Avec les cœurs, des brochettes. Avec les tripes, une daube. Et avec les carcasses, les “ demoiselles ”, mises au gril, quel régal ! Les foies ? Elles s'en gardent quelques-uns, mis en conserve pour les fêtes, et vendent les autres au marché. La Gascogne reste à l'heure de l'économie ménagère. Tout ce qui peut être conservé dans la graisse, en boîte ou en congelé fait la bonne nourriture de l'année. Gastronomie ? Est-ce qu'elle a une gueule de gastronome en jupe courte, la fermière ? Elle fait la tambouille pour ses hommes : du bon et pour moins cher.

Ce qui caractérise la cuisine gasconne ? La primauté de la viande bouillie : bouillie à l'eau et aux légumes dans le cas de la garbure et de la poule au pot ; bouillie au vin pour le salmis et la daube. C'est aussi une cuisine qui utilise en même temps la graisse d'oie et le vin comme ingrédients de mijotage, ce qui ne se retrouve nulle part ailleurs. Cuisine exclusivement carnée : le légume n'est utilisable, tolérable même, que comme condiment dans ce fier pays de Gascogne où les hommes mangent du lion pour se rêver mousquetaires. Cuisine de mijotage : la garbure, la daube, le salmis, le confit, l'alicuit, la poule au pot. Cuisine de fermière qui va aux champs en laissant la marmite sur le feu, cuisine jamais meilleure que réchauffée, l'inverse de la gastronomie-minute à la commande.

On critiquera certes la mauvaise manière dont les gâte-sauce de Paris et d'ailleurs interprètent la cuisine gasconne, fort à la mode depuis un temps : foie gras mollasson, cèpes et confit en conserve mal faite, sans parler de " lou magret " congelé de canard maigre, auquel jusqu'à Tananarive on n'échappe plus. Il n'est de bonne cuisine gasconne qu'à la table de ferme et dans les petits restaurants d'alentour. Par bonheur, à l'inverse de ce qui se passe presque partout en France, il en reste des centaines, de ceux-ci, où la mère poule est en cuisine, d'Artagnan au comptoir et la coquine de fille en salle. S'il en subsiste autant, c'est que les Gascons sont si orgueilleux de leur province qu'il ne leur vient pas à l'idée de manger comme ailleurs, puisque ailleurs c'est forcément moins bon qu'en Gascogne. Il faut dire aussi que les fonctionnaires installés au pays, mon Dieu, ne mettent pas trop de zèle pour trouver par quel miracle les petites auberges donnent à manger si bien pour de si petits prix. Et c'est tant mieux ainsi ! Ils ne gênent personne, ces petits restaurants de Gasgogne, ils ne paradent pas dans les guides. Ils sont discrets, comme cachés, afin que ne les trouvent que les gourmets méritants ; que ceux qui s'attardent par les routes buissonnières dans un pays de cocagne où le temps coule si doux que les lève-tôt affirment voir pousser les champignons. Je vous le confie : il est un moyen sûr de les découvrir, ces auberges du bon Dieu : à vélo, et c'est bon pour la ligne, car, si du confit vous mangerez, en contrepartie des côtes en large et en travers, sans fin, ni faim vous avalerez. Le bonheur est encore dans le pré.

Le cassoulet, olé !

« Cassoulez-vous », ordonne une publicité de conservateur. La France se saoule la gueule, c'est connu. Saviez-vous qu'elle se cassoule la panse ? Deux kilos de cassoulet par Français et par an : telle est la consommation moyenne. Le plat cuisiné le plus vendu, la cassoulateur des veufs et des affligés. L'autre jour, j'avais une peine de cœur, j'étais dans la choucroute. Mon chef m'a dit : *« Casse-toi à Castelnaudary. Là-bas, qui se cassoule se console. »* C'est ainsi que j'ai rencontré Pierrette. Je ne vous donnerai pas son adresse. J'ai déjà un rival qui lui a troussé une ode. Ce poète de labour a osé lui écrire, je cite :

Dame Pierrette un beau matin
conçut un projet fort louable :
réunir autour de sa table
de tous ses amis le gratin.
Et quand futée comme Pierrette
on garde en secret dans la tête
du cassoulet la vraie recette...

La vraie recette de Pierrette. A quelles extrémités ne fallut-il pas que je consentisse pour la lui arracher ! J'avais un nom pour viatique : Vanel, le pape pâle de la gastronomie toulousaine. Vanel, qui se contente de servir un cassoulet de morue car il prétend qu'il ne réussirait pas le plat traditïonnel aussi bien que Pierrette, simple ménagère. La dame fut alertée de mon passage huit jours à l'avance. Il lui fallait ce temps pour qu'elle mijotât l'œuvre. Raconterai-je le festin ? Les rots me manquent. Et les vents qui emportent ce récit ne sont pas toujours ceux de l'inspiration. Je croulais sous un cassoulet pour un milliard de Chinois et moi et moi. Louche en main, Pierrette creusait des cheminées dans un Vésuve de haricots. Elle en remontait des cuissots d'oie confite, des jarrets de porc, des chapelets de saucisses. Les empilait dans mon assiette, ronronnant : *« Vous prendrez bien une ou deux louches de haricots. Écrasez-les. Vous retrouverez les arômes des ingrédients qui entrent dans le plat. Vous percevrez même l'odeur des genêts qui ont servi à chauffer le four. »*

J'y mis bel appétit. (Prudent, j'avais prévenu Europe-Assistance.) Ma bonne volonté toucha au cœur cette femme nourricière. « *Mignonne,* lui susurrai-je, *allons voir si le cassoulet, qui de ta main fut mijoté, me livrera son doux secret.* » Pierrette n'a jamais résisté à un bouquet de rimes. Le souffle court, elle sortit un cahier d'écolière, rempli de sa chère écriture. *« Ah monsieur ! En quel trouble vous me jetez,* soupira-t-elle. *Je n'y avais jamais consenti. »* Elle me chanta à l'oreille une petite musique qui me suivra jusqu'au tombeau. *« Six jours avant le repas, mettre à saler pour dix personnes sept cents grammes d'échine de porc... »* Chut ! Je ne vous dirai pas la suite.

Histoire vraie à quelques fayots près, qu'on m'absolve. Le cassoulet est nourriture fantasmatique. Quoi de plus convivial que de se cassouler les uns les autres ? Il n'est de génial cassoulet qu'englouti entre amis, telle est la morale de la fable. *« C'était un plat de paysan, il est devenu un mets rare,* opine le chef Vanel. *Plus personne n'en fait : il faut autant de temps pour le raconter que pour le préparer. Le cassoulet est victime de la purée mousseline. »* Certes, mais les chiffres ? Quatre-vingts millions de kilos de cassoulet consommés en France chaque année. Il s'agit de boîtes. Le conserveur a supplanté la cuisinière quand, fatiguée des tâches domestiques, celle-ci a rendu son tablier pour vivre la grande vie de caissière au Crédit agricole. La libération de la femme est la fin des haricots.

Les conserveurs distinguent les cassoulets ordinaires et les artisanaux. Les ordinaires se vendent moins cher qu'une livre de cerises. Ils ne sont que bouillie de haricots argentins, de lard chinois et de saucisses à l'amidon. Le fait troublant est que ces cassoulets ordinaires de mauvaise qualité extraordinaire représentent quatre-vingt-dix pour cent du marché. Les autres, les artisanaux, sont appelés souvent " de Castelnaudary " : la plupart sont cuisinés dans cette citadelle audoise, où la légende veut qu'on ait confectionné le premier cassoulet lorsqu'au XIVe siècle les habitants réunirent leurs derniers vivres dans un chaudron avant de mettre en fuite l'assaillant anglais. Aujourd'hui, les Chauriens se contentent de faire assaut d'enseignes. Chaque boutique a son blason : l'" incomparable " cassoulet, le " vrai ", le " parfait ", l' " authentique ". Ouvrez vos parapluies, il pleut des tromperies grossières. J'ai soumis à la dégustation les deux marques artisanales les plus vendues, la C. et la S.

L'épreuve fut organisée à l'aveugle au Logis de Trencavel à Carcassonne, où le chef Rodriguez passe pour servir le roi des cassoulets. Notre hôte avait mis à gratiner trois terrines, l'une de sa production et les autres des conserveurs. Présidait le tribunal, Daniel Dulout, l'homme qui faisait la promotion des produits alimentaires de l'Aude. A ce titre, il aurait dû défendre les cassoulets artisanaux. Le résultat de leur dégustation fut si accablant — saucisses noirâtres, porc pisseux, canard bouilli et non confit — que le président Dulout s'en serait allé sur-le-champ promouvoir plutôt la tripaille de Caen. Accusés, levez-vous ! Le patron de la firme C. avouera sans se faire prier : *« Pourquoi le nier ? La stérilisation, inhérente à la conserve, abîme tous les cassoulets, même ceux de Castelnaudary. »* Vous avez bien lu : les conserveurs artisanaux admettent que leur produit n'est pas fameux, fameux. Alors, imaginez ce qu'ils disent des produits concurrents, des cassoulets industriels. Le patron de C. continua : *« On nous reproche de ne pas mettre assez de viande dans les boîtes. A quoi cela servirait-il ? Elle est forcément mollassonne. Elle a bouilli trop longtemps avec les haricots : tout est cuit ensemble dans la boîte. Je conseille aux clients d'ajouter des viandes qu'ils auront préparées eux-mêmes. »*

D'où il ressort que le cassoulet en boîte est plus roulant que cassoulant. Quatre-vingts millions de kilos de vendus pourtant. Preuve que le mâle français éprouve un irrésistible besoin de cassoulet, quitte à se contenter de ces marmelades. Rêvons, rêvons, mes frères de gueule, au temps revenu des petites femmes au foyer. Au retour de la cuisine-nounou qui retient les petits maris qui se débinent. Cassoulé, hé ! Cassoulé, ha ! Mon cassoulé, doudou dis donc. Pour nous les hommes, le droit sacré au plat mijoté. Mais je les entends déjà, nos sœurs. Elles défilent et elles crient : *« Les machos chez Fourcade ! »* Logique féminine : s'il n'y a plus de cassoulet-maison et qu'il n'y eut jamais de bon cassoulet en conserve, il ne reste que le restaurant pour se rattraper, et d'abord le plus consolateur d'entre eux : Fourcade à Castelnaudary, le Panthéon du cassoulet, tous les guides l'assurent.

Le patron du Fourcade s'appelle Michel Chabi. De son propre aveu, il exploite une mine d'or. Au plus chaud du mois d'août, il sert jusqu'à deux cents cassoulets par jour. Alors il prend la vie en levant le coude, *té,* juste comme on prend le pastis. Hélas, d'en boire le rend muet. Nous trinquions et il jurait, insistait, serinait qu'il ne peut exister de *« bon cassoulet que de Castelnaudary »*. Mais d'explication, il n'en donnait point. Il finit par me désigner son pastis. De l'anis dans les haricots ? Non, non, je n'avais rien compris. Il voulait dire que le cassoulet est le meilleur ami de l'eau. L'eau de Castelnaudary, d'une faible teneur en calcaire, serait miraculeuse pour cuire les fayots. Tu te moques, Chabi ? Ton eau vient du robinet et du réseau urbain javellisé. Jadis, certes, elle coulait de la fontaine de Caudessan aux vertus particulières. Chabi eut un geste d'immense lassitude : *« Le cassoulet de Castelnaudary est le meilleur parce qu'il l'a toujours été. Et celui de chez Fourcade fut toujours le premier de Castelnaudary parce que cela tient aux murs de la maison. »* On voit bien qu'ils n'ont pas été nettoyés depuis un siècle, ces murs.

Légende vaut rente. Dans un effort qui le laissa sans souffle, Chabi citera Prosper Montagné, le grand cuisinier, qui écrivit un jour : *« Le cassoulet est le Dieu de la cuisine occitane. Un Dieu en trois personnes : le père, qui est le cassoulet de Castelnaudary. Le fils, qui est celui de Carcassonne. Le Saint-Esprit, qui est celui de Toulouse. »* Montagné précisait que le cassoulet de Castelnaudary se faisait avec du porc frais, du jambon, du jarret de porc, du saucisson et des couennes fraîches. Qu'à Carcassonne on y ajoutait du gigot de mouton raccourci et des perdrix. Et qu'à Toulouse, on l'enrichissait de lard de poitrine, de saucisses de la ville, de collet de mouton et de confit d'oie ou de canard.

J'ai mené l'enquête, j'ai arraché leur recette aux rois du cassoulet de ces trois villes, aux mousquetaires Chabi, Rodriguez et Pujol. Ils jurent tous les trois détenir un secret alors qu'ils procèdent de la même manière. Qu'est-ce qui fait alors le cassoulet réussi ? En vérité, moins une formule cabalistique que la bonne humeur du chef, caractéristique éphémère, j'en conviens. Or une longue et pénétrante observation de cette faune capricieuse que forment les chefs m'amène à avancer le postulat que leur humeur fonctionne comme le cœur de Pierrette. Quand ils aiment, ils ne comptent pas. J'en tire une suggestion hardie : je propose un accord à nos sœurs ennemies, les féministes. Je leur pardonne d'avoir prêché le bonheur des dames par l'abandon des casseroles. Je les absous d'avoir privé une génération d'hommes de la substantifique habitude du cassoulet familial hebdomadaire. Mais à la condition qu'elles se dévouent en retour ; qu'elles séduisent nos chefs ; qu'elles les saoulent d'amour pour qu'ils continuent de nous mijoter de sacrés cassoulets au lieu de se lancer, tous, dans les queues de langoustines aux agrumes. Le MLF au secours du cassoulet, olé !

Savez-vous trousser la croustade ?

La guerre d'Eauze n'aura pas lieu. Je ne dirai pas ici qui, de Denise Moure ou d'Élisabeth Dépis, fait la meilleure croustade. Choisir provoquerait une conflagration à côté de laquelle la ruine de Troie, l'Iliade et l'Odyssée n'auraient été qu'une partie de campagne, certes un peu homérique. Déjà suggérer qu'Eauze, petite ville du Gers, est sans doute la capitale de la croustade... J'entends le Quercy gronder et les Landes comploter, en sous-bois, de séquester mon éditeur. Pouce, j'écris que la croustade, appelée encore pastis et dite aussi tourtière, est un dessert exquis qu'on trouve dans le Grand-Sud-Ouest jusqu'à Poitiers car c'est un legs des invasions arabes. Donc pas la peine de se mettre martel en tête pour trouver où est la meilleure. Il y a déjà eu trop de sang dans cette histoire, depuis qu'un certain Charles se battit — et quoi qu'en disent les livres — pour que la croustade sarrazine ne conquière Paris.

C'est la faute à Carrère si j'ai failli commettre le péché historique de trancher entre ces dames Moure et Dépis. Ce pousse-au-crime, chroniqueur à *la Dépêche du Midi,* m'avait affirmé sans ciller qu'on ne fait plus aujourd'hui de vraies croustades ; que tout n'est plus que pastiches de pastis et s'apparente davantage au feuilletage pâtissier à la française qu'à la pastilla marocaine. *« La vraie croustade,* avait salivé Carrère, *était un énorme feuilleté rond, d'au moins huit centimètres d'épaisseur. »* Fourré de tranches de pommes : *« des reinettes, obligatoirement ».* Feuilleté à peine humecté de graisse d'oie. Parfumé à la fleur d'oranger. Et, surtout, cuit à l'étouffée dans un petit four rustique de campagne, en tôle et en forme de cylindre, avec pour le chauffer de la braise au-dessus, sur le couvercle, et en dessous, sur le sol. *« Ah, si vous aviez connu la vraie croustade cuite ainsi dans sa propre vapeur ! Les parfums entremêlés de la pomme et de la fleur d'oranger en imprégnaient chaque feuillet. »* Mon gourmand de Gascon en avait la bouche sucrée de souvenirs.

« Mais les croustades que fait Denise Moure ? » protesté-je. (Voilà dix ans que je m'en régale en vacances.) Carrère, perfide : *« Élisabeth Dépis vous ferait encore une croustade à l'ancienne. »* C'est ainsi que la guerre faillit commencer. A ma gauche, Mme Moure, la reine en titre, une demi-pro, qui, dans son modeste pavillon d'Eauze, confectionne trois cents croustades par semaine que l'on s'arrache jusqu'à Lamotte-Beuvron, sans qu'aucune publicité lui ait été faite. A ma droite, Élisabeth Dépis, gaveuse d'oies et chercheuse de cèpes, qui pour l'occasion a sorti du grenier le vieux four à pastis tout rouillé.

Vous raconterai-je le combat ? Il fut rude, à la limite de la régularité. Denise Moure, plus avertie des dépravations pâtissières, força sur le beurre et l'huile, ajoutés à la pâte faite simplement de farine et d'œufs. La recette, léguée par nos ancêtres les Arabes, n'autorise pourtant qu'une lichette de graisse. Élisabeth Dépis, de nature généreuse, insista sur la fleur d'oranger, relevée d'armagnac et d'autres ingrédients tenus jalousement secrets.

Mais le quart d'heure éblouissant du match, dont vous trouverez le compte rendu détaillé dans le journal *l'Équipe,* fut le moment où les protagonistes saisirent leurs boules de pâte. Chacune de celles-ci pesait cinq cents grammes et tenait dans un bol. Elles entreprirent de l'étirer en n'usant que de leurs doigts. L'emploi du rouleau pâtissier entraîne la disqualification immédiate. Tirèrent, étirèrent la pâte sans la trouer jusqu'à couvrir une table de plus de trois mètres carrés — avec un bol de pâte ! —, jusqu'à obtenir une feuille plus fine que du papier à cigarettes, si mince et si souple qu'elle manquait de s'envoler comme une montgolfière au moindre souffle d'air. C'est là tout le secret : provoquer le feuilletage par étirement et non par l'usage du beurre. Moi, en essayant, je n'ai obtenu qu'un carré de gruyère raplapla. Denise Moure atteignit les trois mètres carrés cinquante-huit centimètres sans un trou. Élisabeth Dépis craqua à trois mètres trente-six. Mais elle gagna la seconde manche : elle plia comme de règle la pâte étirée en huit, pour obtenir le feuilletage, tandis que sa rivale arrivait au même résultat par la superposition, dans le moule, de feuillets découpés au couteau.

L'épreuve de la cuisson allait être décisive. Vingt minutes à deux cents degrés dans un four électrique chez la professionnelle : la croustade en sortit frisée de papillotes, dorée à point par le sucre caramélisé. Dix minutes entre deux braises dans le four à cloche de la paysanne : elle en tira une croustade mieux levée, presque charnue mais pâle, de couleur boulangère plus que pâtissière. Vous dirai-je la meilleure des deux ? J'ai croqué dans l'un et l'autre feuilleté si léger que je me suis retrouvé planant dans le ciel gascon. De là-haut, où l'on n'a point de la géographie la même vue cartésienne que d'en bas, je vous écris qu'assurément, Denise Moure fait la meilleure croustade du Gers ; qu'incontestablement, sa voisine, Élisabeth Dépis, fait la meilleure croustade du Sud-Ouest ; et que j'ai déniché une troisième dame, dont par précaution je vous tairai le nom, une voisine qui plus modestement fait la meilleure croustade de mon village, qui est aussi celui de ces dames Moure et Dépis.

Guérard, c'est pas triste

Salut l'artiste ! Il m'a fait un numéro comme à tous les gens qui servent sa gloire. Il a ménagé ses effets, compté sur la surprise, joué de plusieurs registres : patron et cuisinier, châtelain et paysan, étranger et ami. *« Je voudrais vous interviewer, Michel Guérard »,* lui avais-je dit. Il avait marchandé : *« J'ai peu de temps. »* Arrivé à midi, j'étais encore là à minuit. Il me retenait presque, insistait pour que je dormisse chez lui, comme pris au jeu de la pièce en dix actes qu'il s'éblouissait à donner. *« J'aurais voulu être comédien »,* m'avait-il confié. Le voici en tout cas à la ville dans un personnage à facettes : grand chef, vigneron, promoteur du thermalisme, consultant international pour le trust Nestlé-Findus, directeur de sociétés, fabricant de fourneaux, auteur à succès, présentateur de télé. *« Ma plus grande fierté est d'être devenu plus qu'un cuisinier, même si toutes mes activités sont des déclinaisons du chef Guérard »,* explique le beau parleur.

Bonjour l'artiste ! Il est petit, il se trémousse, il prend la pose, il se déguise. On l'imagine soliste dans une chorale. Vous le voyez : le petit qui est devant ? Dressé sur ses talonnettes, plus tout jeune mais soigneux de sa personne. Celui qui a le plus bel organe et a l'air de grimper sur les épaules des autres pour qu'on ne voie que lui. Tel est Guérard, le fils du boucher, l'ancien mitron qui voulait son nom en haut de l'affiche. Devinez ce qu'il fit à l'âge de quarante ans, alors qu'il tenait un bon restaurant à la mode, le Pot-au-feu à Asnières ? Il commanda un sondage sur sa notoriété. Il se rêvait célébrissime. Mais, au palmarès des chefs, Oliver et Bocuse galopaient loin devant. Il se jura alors de les égaler. Dix ans après, il est sur leurs talons.

Hello vedette ! Aujourd'hui il me parle, il me saoule, il me joue le grand air de la cuisine qui mène à tout à condition de s'en sortir et d'être aussi ficelle qu'il n'en a pas l'air. Il parade sur sa scène fétiche : dans les Landes, à Eugénie-les-Bains, “ aux prés et aux sources ”, tel est le nom de son palace, qui a trois étoiles au Michelin. Il faudrait écrire : *palazzo Guerardi.* C'est Florence, c'est Venise, c'est Capoue. (Heureusement qu'il m'invite...) Je me prends pour un doge en ambassade chez un prince de la Renaissance décadente. Il me montre ses tableaux, ses statues, ses faïences, son jardin exotique, ses maîtres de cuisine, d'hôtel et d'équipage, ses soubrettes accortes comme de tradition, le marbre de ses chambres, ses lits à trois oreillers, les glaces de ses galeries, ses thermes romains et américains, ses bains de boue et de bouche, ses douches de daim avec nounou. Fou, bijou, chouchou : le Petit Chose n'en peut plus de me faire mesurer jusqu'à l'épaisseur des moquettes. Il me traîne au restaurant, aux cuisines, dans les chambres froides, dans les bains chauds, en long et en travers de son établissement hôtelier et thermal. Je découvre enfin les mille et une nuits dans un petit village des Landes ! Comme j'en pousse des cris, j'ai même droit au château familial : il vient de l'acheter, un manoir de je ne sais plus quel siècle. Il a tout refait de neuf à l'ancienne. Il l'entoure d'un vignoble, dont la terre sera améliorée avec du vrai fumier de ferme, et le vin, produit par l'œnologue de Château-Pétrus, le meilleur technicien de Bordeaux. Je n'ai coupé à rien de la visite guidée, je n'ai raté que le beau-père du chef, monsieur Adrien Barthélemy, l'homme qui fit du mitron un petit prince : *« C'est grâce à lui que j'ai commencé à voir large »*, insiste Guérard. Racontons par quel engrenage et par quel beau mariage le petit Michel est devenu très grand.

Adieu Michou ! A celui qui fut longtemps un artisan ordinaire avant qu'il ne s'installe à Eugénie. Il débute comme apprenti pâtissier en Normandie, puis exerce le même métier dans de bons restaurants parisiens. Aujourd'hui encore, il en parle comme de treize longues, très longues années. Il se sentait mal dans sa peau de petit gros, humilié de ne pouvoir exploiter les dons qui lui brûlaient les mains. Il finit par ouvrir un troquet de banlieue, le Pot-au-feu à Asnières. Aussitôt, son talent débridé séduit le Tout-Paris. Il " invente " le poisson cuit dans les algues ; le ragoût fin aux coquillettes, truffes, foie gras et ris de veau ; le feuilleté de poires caramélisées ; le granité de chocolat amer avec sa madeleine chaude. Il obtient deux étoiles au Michelin. D'autres s'en seraient contentés. Lui reste sur sa faim de petit gros qui se veut le plus grand. C'est alors que, miracle de l'amour... A quarante ans, il rencontre mademoiselle Barthélemy.

Bonjour Christine ! La dame a du caractère. Elle le tient de son père, le berger devenu milliardaire. Celui-ci, Adrien Barthélemy, possède neuf stations thermales, dont celle d'Eugénie-les-Bains. Christine envoie Michel maigrir à Eugénie. Et là-bas, deuxième miracle, dans une baignoire sans doute héritée d'Archimède (l'histoire ne le précise pas), le cuisinier s'écrie : *« Euréka ! »* Il vient de trouver la formule qui lui donnera la gloire, il va inventer la grande cuisine minceur. Le trait de génie est simple comme toujours : puisqu'il y a beaucoup de gens prêts à payer pour maigrir en mangeant mal, il s'en trouvera assez pour dépenser davantage si on les fait mincir en leur donnant à picorer comme des princes. Du homard et du caviar plutôt qu'un œuf dur et du gruyère. Guérard installera son centre de cure à Eugénie, dans la propriété du beau-père. Il s'exile au milieu " des prés et des sources ", dont les charmes bucoliques seront soulignés par un investissement immobilier de... trois milliards de centimes. *« Foncez, Michel, la vie c'est tout ou rien »*, exhorte le beau-père.

Bravo le funambule ! Voilà dix ans maintenant que Guérard marche sur le fil de sa célébrité. Vous l'avez vu d'abord à la télé, derrière ses casseroles, faisant recette de tout bois. Ensuite dans l'édition, avec son livre sur la cuisine minceur : six cent mille exemplaires de vendus. Et aujourd'hui sur les boîtes de Findus, à des millions d'exemplaires. Guérard n'a pas craint d'être le premier grand chef à tenter le passage de la gastronomie à l'industrie ; à signer des petits plats surgelés. Il s'en félicite : le marché progresse de vingt pour cent par an, et ses royalties avec. Il en tire même du plaisir : *« C'est plus excitant de donner à manger au Français moyen qu'au riche. Sur dix propositions de plats que je mets au point, Findus n'en retient que deux. En raison des nécessités imposées par la fabrication à la chaîne, les plats doivent pouvoir être produits par des manœuvres. »*

A table, l'artiste ! L'appétit vient en mangeant. Demain il se voit encore plus haut, dans le premier rôle, notre Protée. Il se voit PDG dans les pas du beau-père, à la tête de la chaîne thermale du soleil, trois cents millions de chiffre d'affaires, c'est le moins. Il se rêve un destin quasi politique, être prophète en son pays, devenir le sauveur du Tursan, la région rurale qui entoure Eugénie et se meurt doucement. Guérard calcule que tout le Tursan, selon le modèle d'Eugénie, *« premier village minceur »*, doit vendre du bon air, de la beauté, du silence aux stressés de la ville.

Il a mille projets en ce sens pour les paysans d'alentour, les hôteliers et même les directeurs d'hôpitaux. Sa thèse la plus chère est de prêcher à ceux-ci qu'un malade se soigne à table autant que dans son lit. Il leur dit : *« La journée d'hospitalisation, même dans un établissement ordinaire, coûte aussi cher que le séjour dans un hôtel de quatre étoiles de luxe. Pour le prix, les patients devraient avoir un beau Noir au pied de l'ascenseur et une orchidée sur leur table de nuit. Ils n'ont même pas à manger correctement. Il faut réorganiser tout ça, révolutionner la diététique hospitalière, mettre l'imagination au pouvoir. J'en ai parlé au président de la République. »* Après la grande cuisine minceur, la grande cuisine remède ? Ah, mourir sur une petite salade buissonnière aux poissons fumés et un baron de lapereau mangetout aux morilles fraîches et fanes de navets !

Chapeau, l'artiste ! Même si tu me vantes cette joyeuse idée pour qu'elle te fasse plus beau que tu n'es, pour qu'elle corse le portrait.

Vanel en sacristie

Aimez-vous le laguiole, ce couteau de paysan ? Avec sa forme torse et son manche de corne clouté de cuivre, drôle de *design* qui sent le sabot et le fumier. Prenez-le dans la paume de la main, il s'y moule comme par enchantement. Vous vous sentez armé pour de plantureuses agapes et d'habiles travaux, jurant qu'il n'est de meilleur couteau pour la vie que ce laguiole malgracieux, venu du fin fond de la France. Il en va de Lucien Vanel comme de celui-là. Pourquoi parler de ce cuisinier toulousain, voûté et toussotant, que tant de chefs devancent au hit-parade des guides et de la pitrerie ? Ce hussard blanc de la gourmandise rase son monde avec son catéchisme de la vraie cuisine et de la belle orthographe. A-t-il au moins l'avenir pour lui ? A soixante ans ! Vanel est l'un des survivants d'une race en voie de disparition que j'appellerai les chefs-coqs. Il est de ces cuisiniers généreux, coléreux, qui se veulent maîtres à bord après Dieu et merde pour les gastroniqueurs. Il en reste quelques-uns : Delaveyne à Bougival, Ducloux à Tournus, Cortembert à Fleurie, Peyrot à Paris, Brun à Marseille, j'en oublie... De seconds couteaux, pérorent les dandys. Moi je les aime autant que mon campagnard de laguiole. Et à ces vieux de la vieille, j'offre ce portrait en hommage.

Vanel sort de son Quercy et des jupes d'une douzaine de paysannes gourmandes comme des oies. Il vint à Toulouse sur le tard. La ville rose lui fit-elle peur ? Le paysan se terra dans un trou de béton, au plus noir d'un blockhaus immobilier. Au début il n'y mit même pas d'enseigne. Aux clients de le dénicher. Vanel n'exploite pas un restaurant, il tient une maison. Le lieu ne vous plaît pas ? Vous le jugez sombre et géométrique, pareil à ces chapelles de banlieue que l'on construit depuis que Dieu ne va plus à l'église ? Que les choses soient nettes. M. Lucien Vanel donne à manger chez lui, sa salle à manger lui convient. Vous dites qu'elle manque de fleurs, que les maîtres d'hôtel reviennent d'un enterrement. Si tel est votre avis, courez ailleurs vous faire un cuire un œuf avant que le maître ne s'emporte. *« Que dites-vous, moi, je suis soupe au lait ? »* se fâche M. Lucien. Puis, se radoucissant : *« Si je parle haut et fort, c'est que ma pauvre mère était sourde. »*

Vanel a une vie de sacristain. Toulouse s'éveille quand il pointe son nez méfiant au marché Saint-Sernin. Que cherche-t-il avec cet air préoccupé ? Là où nos cuisiniers magnifiques exigeraient des rougets, des bécasses, des girolles et des fraises du Swaziland, monsieur Lucien court après ce qu'il y a de frais et de pas cher. Tiens, des rascasses ? Et ces joues de bœuf ? Voilà longtemps qu'il n'en a pas servi. Et des pieds de porc ? Ceux-là, ils coûtent quelques francs au marché et se vendent quatre-vingts francs au restaurant. Seulement il y a du boulot pour les farcir, les mettre à mijoter, à gratiner. C'est ce qui rebute les jeunes loups de la cuisine. Il faut une patience de bonne femme, de l'humilité au travail. Les jeunes chefs diront que de mettre à la carte du pied de porc à la marmelade d'oignon (ou du cassoulet de morue, ou une omelette aux cèpes) vous déclasse un restaurant. Tant pis si les jeunes chefs sont assez cons pour ignorer que les viandes et les poissons du pauvre font souvent les meilleures recettes aux deux sens du mot.

Le sacristain connaît ses cantiques. Il y a tant de cuisiniers qui rabâchent les mêmes vingt plats nouveaux, trois cent soixante-cinq jours de suite. M. Lucien s'ennuierait à procéder ainsi. Il a deux cents recettes dans son bréviaire, entre lesquelles il choisit selon sa fantaisie. Le marché du matin décide de l'évangile du jour. Vanel tient à mettre à sa carte neuf entrées, deux poissons, sept plats de viande. Mais le détail n'en est arrêté qu'au retour du marché avec Jean, le chef en second, le compagnon du premier jour. Voici comment ça se passe, Vanel :

« Les rascasses, Jeannot, comment les prépare-t-on ? Je suggère : en filet avec une fondue de tomates et de pommes de terre. On cuit les patates, en rondelles, dans un fumet fait avec les têtes,

les arêtes et les parures des rascasses. Tu vois ? A la façon toute simple des femmes de pêcheurs, de manière que les pommes de terre, bien imbibées de jus, soient meilleures en fin de compte que les poissons eux-mêmes.

« Et les choux, Jean ? J'ai une idée. J'ai acheté des cuisses de lapin. Au lieu de faire du chou farci, comme la semaine dernière, on va désosser les cuisses de lapin, on les farcira et on les enrobera de choux. On y va.

« Et les pigeons ? Avec les légumes frits ou cuits en vessie ? Non, on va changer. On a du reste de foie gras. On fera le pigeon farci et poêlé au coulis de foie gras avec des croquettes d'ail doux.

« Je récapitule... Il nous manque deux hors-d'œuvre. Je propose un œuf en meurette tout simple. Pourquoi pas ? Et, en plus amusant, avec les pêches et les pétoncles achetées ce matin, une salade de tomates, pêches blanches, céleri et carottes aux pétoncles tièdes. Aujourd'hui, il y en aura pour tous les goûts. »

Les jeunes chefs diront que Vanel est bien fou de se donner tant de mal à changer de menu chaque jour. Que d'improviser des recettes, c'est courir le risque d'un couac quand le client exige un concerto achevé, une polka répétée jusqu'à la perfection. Tant pis si les jeunes chefs sont assez fats pour croire que la cuisine est le huitième des arts.

Il gâche le métier, ce Vanel, cette punaise de sacristie. Il désacralise la fonction à se vouloir artisan quand les autres se rêvent archichefs de la sainte marmite. Est-il tolérable que, nanti de deux étoiles au guide rouge, il prétende donner à manger pour deux petits billets ? Qu'il n'ait que six personnes en cuisine et trois autres en salle quand il en faut bien une trentaine dans les autres établissements de même taille et d'égale réputation ? Qu'il garde le même second en cuisine, les mêmes maîtres d'hôtel et le même plongeur depuis l'ouverture de sa maison ? A croire qu'il tient une pension de famille quand aujourd'hui un restaurant doit être un théâtre de strass avec un personnel en paillettes. Et comment ne pas s'écrier lorsque, à soixante berges, il cuisine encore lui-même, farcit les pieds de porc et désosse un pigeon en quatre-vingts secondes ? Ignore-t-il que désormais la noble fonction des grands chefs n'est plus de faire à manger mais de graver leurs recettes sur du papier d'argent ? Que penser de son obstination à taper à la machine, lui-même, le menu quotidien ? De son insistance perverse à rappeler aux géants du métier que, sur le plus haut des trônes, selon le mot fameux, on n'est jamais assis que sur son cul ? Les jeunes chefs ricaneront que Vanel a l'âge de ses artères. Tant pis si les jeunes chefs sont assez sots pour ne point tirer leur chapeau devant un homme qui sait encore ce qui distingue une fallette d'une falette, laquelle est de veau et l'autre de mouton. A vos dictionnaires du terroir, jeunes hommes. Fallette, falette, laguiole, Vanel, tout ça vient du même coin. De la France profonde qui nous fait encore chaud au ventre.

Monsieur de Daguin

D'habitude, quand on parle d'un chef, on associe son nom à une création culinaire. On dit Bocuse, la soupe aux truffes ; Troisgros, le saumon à l'oseille ; Haeberlin, la mousseline de grenouilles. Lorsqu'on nomme Daguin, on pense sitôt au Gers, bien que notre homme soit le père légitime du magret de canard. Daguin, c'est d'abord un pays : le Gers des collines plantureuses, la Gascogne ventrue et bravache, le berceau des cadets, qui conquéraient Paris et mouraient pour la reine. Dans toute la presse de Navarre et les gazettes des Amériques, on lit *« Daguin le mousquetaire »*. Sans doute parce que ces messieurs des journaux n'ont trouvé que deux raisons de se fourvoyer à Auch : saluer, une minute, la statue de D'Artagnan et s'attabler, un jour, à l'hôtel de France. Servons, nous aussi, la légende toute chaude dont on berce les lecteurs. Daguin serait le Porthos d'Alexandre Dumas, le bretteur tonitruant de la cuisine ; le colosse généreux, revenu des féroces empoignades du rugby pour mitonner, aux amis et aux braves, des troisièmes mi-temps gargantuesques.

Mais la légende ment-elle ? C'est que Daguin la soigne avec autant d'assiduité qu'un bonzaï. Le voyez-vous chez lui, dans son restaurant ? Il saute de table en table, tire son chapeau aux dames, tape sur le ventre des messieurs, claque les fesses des fillettes, offre le coup de l'étrier et, pirouettant d'une blague mitonnée de longue date comme une daube de grand-mère, rebondit de gasconnades en gasconnades séduire la suite de ses hôtes. *« J'aime les gens. Je suis un aubergiste, pas un restaurateur. Un artisan plutôt qu'un artiste. »*

Passez-vous par le Gers ? Tirez la sonnette du gaillard. Il se fait un devoir de vous prendre en charge. Il met son pays à vos pieds. Où se promener ? Il vous envoie à Larressingle visiter la bastide. Où dîner ? *« Non pas toujours chez moi. Essayez Mme Meliet, une cuisinière gasconne qui vaut les mères lyonnaises. »* Trouver un armagnac de derrière les fagots ? Chez le vieux Théaux, il a du 1936. Vous qui passez par la Gascogne, vous n'échapperez pas à Daguin. L'hôtel de France est le nombril d'Auch. La halte forcée des rapins et des politiques en tournée. Le dernier bar galant où, à l'aube grisâtre, les héros fatigués piquent du nez dans le corsage des belles. *« Je me sens,* dit Daguin, *le consul en charge des touristes gourmands qui font le détour d'Auch. »*

Un conseil : ne touchez pas à sa Gascogne. Certain coquin de journaliste avait écrit qu'en cette belle province, *« il n'y avait plus de mousquetaires qu'en statues »*. Le royal courroux que piqua monsieur de Daguin ! Il n'eut de cesse qu'il eût piégé le plumitif assez fou pour revenir sur les lieux du crime. On l'y attendait avec des canons, qui n'étaient point militaires. Dès le midi, l'impudent arroseur arrosé se retrouva toréant des poules dans une basse-cour ; puis sitôt dans la position allongée, où le soleil tourne plus vite que la terre sans qu'il y ait d'autre raison que bachique à cette rotation forcenée.

Tel est Daguin, l'homme public dans sa livrée de bateleur. Il y en a certes un autre, côté jardin. Qui s'ennuie en secret quand il donne à rire. Qui suit un régime tandis qu'il banquette. Le clown triste, le gourmand par devoir. Bref, le Gascon qui n'en est pas un. Disons ici ce qu'est un vrai Gascon. Tant pis si nous nous fâchons avec une espèce délicieuse en voie de disparition comme les palombes et les écrevisses de ruisseau. Un Gascon ? C'est le dernier des traîne-à-table. Pauvre Daguin : le voilà accablé de tant de charges professionnelles qu'il en est au rythme des *breakfast* de travail avalés à l'américaine. Un Gascon ? Plus sa chère bastide que le mont Palatin. Pauvre Daguin. A son oreille c'est souvent la voix off de Roissy qui chante : départ du vol Air France 033 à destination de Saskatoon.

Qu'est-ce qui fait courir Daguin, cette force tranquille qui ne tient pas une seconde en place ? Si ce n'était que l'argent, il n'emmènerait pas avec lui, dans ses tournées culinaires, la troupe de chefs gersois, ses rivaux au pays. Il ne remplirait pas ses valises avec des produits du terroir gascon, qu'il promotionne par patriotisme. *« Ce n'est pas la vertu qui me fait agir ainsi,* explique-t-il. *Dans notre région défavorisée, à l'écart des courants économiques, personne ne viendrait si nous nous arrêtions de faire du bruit. Il n'y a qu'un moyen de s'en sortir : tous pour un, un pour tous. Il faut travailler pour notre petit Gers. »* A force de jouer le même personnage, Daguin va finir par le devenir : le cinquième des quatre mousquetaires. Le chevalier d'une reine qu'il appelle Ma Gloire.

C'est la danse des canards...

Le canard gras comme le poulet industriel ? Élevé, engraissé, découpé, vendu à la chaîne ? Ils y sont parvenus, les éleveurs de la Chalosse dodue. Ils en sont à quatre mille canards par an, quand leurs mères en tabliers à fleurs, de Toussaint à Carême, bichonnaient deux douzaines de volatiles cancanant entre cochons et dindons. *« C'est la danse des canards, qu'on élève dare-dare, pour gagner plus que moins, coin, coin, coin, coin. »* La Chalosse s'est trouvé un hymne en même temps qu'un trésor. C'était une terre jalouse, où l'on avait en religion toute nourriture gourmande à plume et à poil, de l'ortolan au lièvre roux. Et voici qu'elle devient mine nationale à ciel ouvert, pour l'extraction du foie et du magret.

La Chalosse est un petit pays, coincé entre le comté du Béarn, le royaume de la forêt landaise et la république basque. Longtemps elle n'eut rien à exporter. Elle vivait de petit élevage et de chasse heureuse. Ignorée, mais la peau du ventre bien tendue. Il y avait bien le canard gras mais les fermières n'en faisaient qu'un modeste commerce. Elles en gavaient une trentaine chaque hiver et en vendaient le précieux foie à leurs clientes habituelles en œufs, mesdames les épouses du pharmacien et du notaire. Elles se cuisinaient le reste de l'animal pour manger toute la sainte année entre lard et cochon. Hélas, il n'est plus de pays si reculé qu'il ne soit atteint par les ferments de la révolution agricole. Il se trouva des gars de Chalosse pour monter à Paris et s'y entendre dire que l'avenir était à l'élevage " hors sol ", sans besoin de pâturage. Ces gars revenus au pays trouvèrent qu'il y avait chez eux une production capable de ces progrès fabuleux : le bon vieux canard de mère-grand. Ce serait nouvel an tous les jours s'ils parvenaient à le gaver toute l'année, et non pendant le seul hiver. Ils fondèrent une coopérative à Saint-Sever, dont les techniciens par leur enseignement allaient bouleverser les usages de la Chalosse ; faire en sorte que la filière du canard gras rivalise d'efficacité avec l'industrie du yaourt.

L'objectif est en vue. Le département des Landes, dont la Chalosse est le creuset, a doublé sa production en dix ans : deux millions de têtes coupées contre un demi-million pour le Gers classé second. La coopérative a encouragé un modèle d'élevage. Soit un couple d'agriculteurs adhérents de la coopérative : il gave quinze bandes de trois cents canards par an. Lesquels volatiles lui ont été fournis par une " banque d'approvisionnement " interne à la coopérative, elle-même ravitaillée par des membres de la coopérative ayant élevé les petits canards jusqu'à l'âge du gavage. Lesquels éleveurs sont eux-mêmes approvisionnés en canetons d'un jour par d'autres paysans " accouveurs ", membres de la coopérative et spécialisés dans la reproduction du canard mulard. Lequel est le fruit d'un croisement entre un canard de Barbarie et une cane dite " commune ". Laquelle, toute commune qu'elle soit, provient d'une souche sélectionnée par des chercheurs. Ne dites pas que tout ça est d'un compliqué. La preuve que non, ça marche. Les canards de mère-grand étaient gras à six mois. Les canards de la coopé le sont en moins de quatre, à cent dix-huit jours. Ils ont consommé dix-huit kilos de farine minéralisée, trente kilos d'herbe vitaminée et dix-huit kilos de maïs complémenté. Contre quoi, ils produisent en moyenne par tête quatre cent vingt et un grammes de foie gras et six cent douze grammes de magret.

Magret ou maigret ? Il faudrait dire maigret de canard en français et " magret de guit " en gascon. L'un ou l'autre, qu'importe : l'essentiel est qu'on ait découvert les avantages du morceau, il y a juste vingt ans. Depuis, le magret est à l'industrie du canard ce qu'est le moteur au vélomoteur. Auparavant, ce qui n'était ni foie, ni abats dans le canard gras s'appelait le paletot et se vendait en viande à confire, donc à un prix modeste. La trouvaille fut d'amputer le paletot des deux morceaux les plus charnus de l'aile, les muscles de poitrine, qu'on appela magret, et de vendre ceux-ci en viande à griller ou à poêler, donc à un meilleur prix. La découpe du magret apporta une recette supplémentaire qui vint à point pour stimuler l'industrie naissante du canard.

Dressons une statue au Jules qui inventa le magret. Il est du pays voisin et ennemi : du Gers, d'Auch. Encore lui ! Toujours ce Daguin, qui se remue en son hôtel de France comme Bocuse en bénitier pour l'honneur de la cuisine gasconne. C'était vers 1965. Daguin en avait le sang tout boudiné d'entendre les clients lui seriner que le canard c'était gras. Sous l'appellation alors mystérieuse de " Lou magret grillé ", il servit un morceau de viande rouge qui aiguisa les appétits curieux. Du canard, qui l'eût cru ? *« La mode en est partie comme un coup de fusil »*, dit Daguin qui se souvient d'avoir fait le siège des abattoirs de Chalosse, les suppliant de lui tailler des magrets sur mesure. Aujourd'hui, chaque restaurant, chaque gargote, partout, en propose au prix fort. Daguin explique : *« Il faut être manchot en cuisine pour rater un magret. C'est joli, c'est facile et ça rapporte gros. »*

En Chalosse, tous les abattoirs débitent maintenant le magret à la tronçonneuse. Une minute et demie, c'est le temps de découpe d'un canard gras à la coopérative de Saint-Sever. Un coup de couteau, j'enlève le foie. Deux coups de couteau, je tranche les magrets. Trois coups de couteau, je tire le gésier, le cœur et le croupion. Quatre coups de couteau, je sectionne les ailes et les cuisses. Le temps de peser et d'emballer sous vide, c'est arrivé chez le client. Auparavant, celui-ci héritait du canard tout entier, tandis que maintenant, autre révolution, il obtient à la demande trente et un foies, deux cent quarante-trois magrets, soixante et onze gésiers et deux cent douze cuisses. Les abattoirs de Chalosse travaillent comme des fournisseurs de pièces détachées. *« Un télex et j'envoie dix kilos de foie gras au notaire de Lamotte-Beuvron, même en plein mois d'août, quel progrès ! »* se félicite le directeur de la coopérative de Saint-Sever.

Question à dix francs. Est-il judicieux d'élever les canards par bande de trois mille têtes ? De près comme de loin, la chose ressemble au poulailler industriel, à ceci près que les volatiles ont encore (mais pour combien de temps ?) un parcours herbeux contigu au logis afin de se laver l'estomac de toute la nourriture

« à base de céréales et de compléments minéralisés » qu'on leur fait ingurgiter.

Question à cent francs. Est-ce un progrès, autre qu'économique, d'avoir abaissé l'âge du bon à gaver ? Il est maintenant fixé à trois mois et demi quand il était naguère de six mois. Certes, un canard jeune donne un plus gros foie et des magrets plus tendres. Mais à cet argument les vieilles de Chalosse répliquent que ladite bestiole se distingue aussi par une viande à confire si molle qu'il n'est plus besoin de couteau pour lui faire un sort gourmand.

Question à mille francs. De cinquante bêtes à l'heure, les champions du gavage en sont passés à cent, qu'ils bourrent de maïs, même sous le soleil d'août, faut-il applaudir l'exploit ? L'usage voulait pourtant qu'une fermière tranquille, aux petits soins amoureux pour la bête gorgée, obtienne — surtout en hiver — des foies plus souples et moins fondants que la mégère pressée. Est-ce la brutalité nouvelle du gavage qui explique l'afflux, observé en Chalosse, d'éponges sanguinolentes, mollassonnes, qui n'ont plus de foie gras que le nom ? *« Il n'y a que trois éleveurs sur dix qui livrent de la marchandise parfaite »*, tranche Lafitte, un des grands abatteurs de la place.

Mais autant en emporte l'Adour qui baigne ce pays de Cocagne. *« On ne se pose pas trop de questions, tout se vend. »* Le gras se fait tant de lard en Chalosse que c'est à peine si l'on s'émeut là-bas du faux gras que l'on fabrique ailleurs en France. Expliquons donc l'invraisemblable histoire qui fait du client un gogo. Il y a canard gras et canard maigre. Les deux bêtes ont en commun l'essentiel, leurs magrets et leurs cuisses, si elles ne partagent pas le superflu du gras. Mais qu'est-ce qui ressemble le plus à un magret de petit canard gras qu'un magret de gros canard maigre ? Qui ressemble, mais n'a pas du tout la même valeur gustative, ni le même coût de fabrication.

Il s'ensuit un trafic. La Bretagne et la Bresse vendent du filet maigre de canard de Barbarie que des filous de commerçants et cuisiniers font passer pour magret gras de Chalosse ou du Gers. Un magret sur deux n'en est pas. Ajoutons les confits, dont une part serait fabriquée avec des cuisses de canards maigres (et non gras), bradées treize à la douzaine et en provenance des pays de l'Est. *« C'est agaçant ! »* concède-t-on à la coopérative. *« C'est contrariant ! »* admet Lafitte l'abatteur. Ils lèvent les bras au ciel, les patrons du gras de Chalosse, quand on s'étonne de leur indifférence devant des fraudes aussi grossières. Mais, comme leurs bras sont lourds de tant d'argent vite gagné, dormez tranquilles, messieurs les trafiquants, ils ne sont pas près de les abattre sur vos têtes.

Il était une fois un marchand de foies qui se disait : ma foi...

On les distingue dans la cohue du marché. On les remarque à leur allure de hobereau, à leur vivacité pour se faufiler au milieu de la masse humaine, qui tangue et fume comme une mêlée de rugby. En dix minutes, les deux Lacroix achèteront une tonne de foie gras cru pour approvisionner leur conserverie, à l'enseigne de la comtesse du Barry. La scène se passe un vendredi d'hiver, à Seissan dans le Gers. Sous la halle s'affrontent un demi-millier de fermières, accrochées à leurs paniers de foies blonds, et une trentaine de conserveurs, criant qu'on les étrangle. Pour ceux-ci, la difficulté de l'exercice est extrême. Il faut d'un coup d'œil juger la qualité de la marchandise, déjouer les ruses de la paysanne qui a caché le mauvais sous le bon, lancer un prix qui sera refusé, affronter des yeux la fermière, faire une seconde offre guère plus forte, sinon, courir à la vendeuse suivante, tout en sachant que les paniers laissés seront acquis dans la minute par un autre négociant. Un quart d'heure après le coup de trompe qui ouvre le marché, il n'y a plus un foie à vendre. *« Le secret de notre métier est de savoir acheter. Il m'a fallu dix ans pour l'apprendre. J'ai été éduqué par ma mère qui l'avait été par son père »,* explique Philippe Lacroix.

La conserverie de foie gras est un art familial comme la fabrication du champagne. Les conserveurs se classent en deux espèces : les paysans et les dynasties artisanales, les « maisons » de Brive, Souillac, Gimont, Aire-sur-Adour, presque toutes du Sud-Ouest. Au vigneron champenois qui vend son propre vin correspond la fermière gasconne et périgourdine qui commercialise le foie de ses oies. Aux seigneurs de la mousse, les Moët, Taittinger, Krug, s'apparentent les Lacroix, Bizac, Castaing,

Rougié, Labeyrie, Delpeyrat et autres barons de la conserve noble. Tous dans le métier, d'aïeul en petit-fils, certain *« depuis 1825, conserveur par descendance et par alliance des deux côtés »*. Famille quand tu nous tiens. Sitôt dans la maison, le patron vous présente son premier cousin qui *« est aux ventes »,* son second cousin qui *« s'occupe de la fabrication »,* sa sœur qui *« dessine les étiquettes »,* son fils qui prendra la succession, *« du moins l'espère-t-on ».* Le discours se poursuit par l'évocation des traditions culinaires régionales. *« Ce n'est pas un hasard si notre conserverie est installée dans le Sud-Ouest. Ici, la paysanne la plus pauvre est un vrai cordon-bleu. »* Puis l'on avoue être soi-même *« gourmet »* et acheter tous les livres de cuisine. C'est que la conserverie fine est une science : *« Le foie se travaille avec des mains expertes, éduquées de longue date. Nous ne faisons pas dans le petit pois »,* s'émeut André Bizac. Sinon, ils sortiraient de leur *« mission ».* De la mission sacrée que leur ont léguée leurs aïeux : *« maintenir la conserve française de foie gras au plus haut niveau gastronomique ».* Ce qui implique un refus farouche de toute industrialisation. *« Plutôt que d'agrandir mon usine, je préfère changer de métier »,* s'écrie Philippe Lacroix.

Une croyance répandue veut que le conserveur produise un foie gras moins bon que la paysanne. *« Stupidité,* s'insurge Philippe Lacroix. *Entre le foie fermier et le nôtre, il y a autant de différence qu'entre un cerf-volant et un avion à réaction. »* S'il faut trancher l'angoissante querelle qui nous agite, le plus sage est de procéder avec méthode. D'abord, la qualité d'un foie qu'il soit d'oie ou de canard, dépend surtout de la matière première. Les foies des volatiles ne se ressemblent pas plus que les nez des humains. Il en existe de moelleux et de suifeux, de denses et de fondants, de lisses et de granuleux, d'odorants et de puants, de nacrés et de jaunâtres. L'expert les trie à l'œil, au toucher et même au nez : ils doivent sentir le maïs. Dans un échantillon ordinaire de foies, l'expert n'en classera qu'un sixième en première qualité. Seuls ceux-ci seront cuisinés " en entier et au naturel ", juste assaisonnés, ce qui donne le meilleur produit. Quant aux autres, il convient de les assembler, de les pétrir pour en faire des blocs, des crèmes et des mousses. Un conserveur sérieux procédera sans faiblesse à ce tri. Mais une paysanne ?

Elle rechignera à le faire : il s'agit de ses oies et elle manque d'équipements pour fabriquer des mousses ou des crèmes avec les foies de moindre qualité. Premier avantage donc pour les conserveurs.

Second critère : la cuisson. Plus elle est légère, rapide, mieux le produit s'en porte, davantage on préserve sa saveur originelle. Le plus délicieux des foies est le " demi-cuit ", préparé à une température avoisinant les soixante degrés. Le moins bon est le stérilisé, fait au-dessus de cent degrés. Entre les deux, il y a le pasteurisé. Le conserveur sérieux est équipé pour utiliser ces techniques. L'un d'entre eux cuit même avec l'aide d'un mini-ordinateur. Mais la paysanne ? Elle n'a pour instrument de cuisson que la cocotte-minute. D'où beaucoup de ratages et la douloureuse interrogation du gourmand chaque fois qu'il ouvre une boîte de foie gras fermier : que sera le produit ? D'une onctuosité divine, parfois. Exécrable, ça arrive. A moitié transformé en graisse, c'est fréquent.

Leur équipement technique donne donc un deuxième avantage aux conserveurs. Leurs foies devraient être les meilleurs à appellation égale. Devraient, car il existe en la matière tout un trafic d'étiquettes et de noms sur les foies gras vendus dans le commerce, qu'on en juge par cette chansonnette. Il était une fois dans la ville de Foix un marchand de foies qui se disait : ma foi, comment rendre la foi aux acheteurs de foies. Il fit un dictionnaire pour expliquer que le foie gras " cru " n'était point le foie gras " frais " ; que ledit foie gras frais " entier " n'était jamais aussi bon que cuit " à demi " ; que le bloc de foie gras n'était ni d'un bloc, ni d'une pièce, mais avec des morceaux ; et que le " parfait " de foie gras était ce qu'il y avait de moins parfait. Voilà trente fois qu'on m'explique la chose. Alors, je vais essayer de vous la redire une bonne fois pour qu'on n'abuse plus de votre bonne foi quand vous achèterez du foie.

Soyons clairs : de l'animal on retire le foie, qui est appelé foie gras " cru ". Il est de mode aujourd'hui de le vendre ainsi pour que les clients le cuisinent eux-mêmes. Deuxième produit : le foie gras " frais ". En fait, il s'agit d'un foie cuit mais que les fabricants n'ont pas mis en boîte. " Frais " signifie à consommer vite et non meilleur. Mais les deux catégories " frais " et conserve se subdivisent l'une et l'autre en trois sous-catégories :

l'entier, le bloc et le parfait. L' " entier " est un foie cuit et vendu en entier : c'est la meilleure qualité surtout quand il est proposé en " frais et demi-cuit ", encore rose à l'arête. Le " bloc " est un assemblage de morceaux de foie et d'une émulsion pâteuse, malaxée, de foies de petites qualités. Le " parfait " n'est qu'une émulsion, une ratatouille de foies médiocres, donc il est sans morceaux, tout lisse.

Compris ? Ce n'est pas si simple. Car par exemple, si l'on ne parle que des blocs de foie gras trouvés dans le commerce, il y a autant de sortes de blocs que de fabricants. Il y a du bloc avec barde de lard ou sans barde. Il y a du bloc avec cinquante pour cent de morceaux de foie gras entier et du bloc avec quatre-vingts pour cent de morceaux. Il y a même du bloc sans morceaux, qui devrait donc s'appeler parfait mais qui se nomme bloc parce que certains fabricants — mais pas tous — jouissent d'une dérogation. Il y a encore des blocs de foie gras " enrichis " de farce de porc et des blocs pur foie sans farce. Drôle de farce. Les prix de tous ces blocs ne sont pas les mêmes, dira-t-on, les prix devraient permettre de distinguer les qualités. Impossible : allez trouver les prix réels quand les boîtes de bloc n'ont jamais le même poids, l'une pesant trois cent douze grammes et l'autre, six cent soixante-dix-neuf. Serait-ce que certains conserveurs trichent deux fois plutôt qu'une ? J'en connais même qui font du parfait de foie gras presque sans foie gras. Recette : un tiers — pas plus — de foie gras de la dernière qualité ; ajoutez une grande quantité de foies maigres de canard non gavé à quinze francs le kilo ; complétez avec de la graisse de canard ; malaxez le tout soigneusement ; amalgamez et vendez bon marché, prix d'appel aux galeries Farfouillette ou dans les boucheries Lucien. Pas vu, pas pris : le parfait était presque parfait.

Aujourd'hui, un troisième larron tente de renvoyer dos à dos la fermière et le conserveur : le cuisinier, le chef étoilé et qui vend " son " foie gras comme il propose " son " beaujolais ou " son " cigare. Fait-il un meilleur produit que les autres ? Certes, si l'on s'en tient aux prix astronomiques qu'il pratique. Non, si l'on écoute la rumeur rapportant que la plupart de ces toqués confient la fabrication de " leur " produit aux conserveries avant d'en signer l'étiquette. Le noble paraphe augmente d'un quart le prix de la denrée. Joyeux Noël, ma foi.

INTERLUDE

De quelques questions essentielles
qui par ces temps de grande incertitude
troublent les esprits gourmands.
Où sont passés les chefs puisqu'ils ne sont plus jamais chez eux ?
Le fast-food est-il la nouvelle religion ?
La technique révolutionnaire du sous-vide
sauvera-t-elle, in extremis,
la cuisine bourgeoise ?

Où l'on rêve pour finir
que les petits hommes verts
auront droit à leur bœuf miroton.

Au bon beurre des jet-chefs

Il court, il court, le Bocuse, hors de sa maison jolie, il est passé par ici, il repassera par là. *« Je vous interdis de faire une enquête sur mes activités à l'étranger,* s'était emporté le grand Paul. *Ce que j'y gagne, ce sont mes oignons. »* Ses oignons, en effet. Images cueillies partout : la photo de Bocuse pelant un oignon, exposée à Osaka dans l'école de cuisine Tsuji ; la même photo, Bocuse et son oignon, à New York, chez Balducci, un traiteur italien ; Bocuse et son oignon à Rio, à Houston, à Oslo, à Singapour, à Honolulu, partout où il est passé depuis vingt ans pour faire des démonstrations culinaires, moyennant finances. *« Je me reproche d'avoir été con,* rouspétait le grand Paul, *je n'aurais jamais dû parler de mes voyages. On prétend que je ne suis plus jamais chez moi. »* La belle affaire : quand il y est, il ne touche pas à une casserole. Il se satisfait de paraître en salle, entouré de maîtres d'hôtel agitant un chasse-mouche et précédé d'un groom noir qui bat le sol du talon, annonçant : *« Bocuse ! Bocuse ! »* Mais il est bon de donner à accroire que les grands chefs cuisinent encore midi et soir. Lequel d'entre eux ? J'attends un nom. Tous tiennent le rôle de chef d'orchestre, à la tête d'une équipe qui peut jouer la symphonie sans eux, s'il le faut. Dès lors, est-il scandaleux qu'ils donnent des concerts à l'étranger ? Qu'ils courent le cachet en dollars ? N'est-ce pas un faux problème ? L'arbre qui cache la forêt ? Dénoncer leurs petits profits, mais mésestimer le formidable bénéfice commercial que la France pourrait tirer de leurs activités étrangères, du moins si les choses étaient organisées avec efficacité, à la japonaise ? *Fortune,* le magazine américain, se moque joliment des cachotteries de nos *jet-chefs* : *« Ils se salissent les mains avec le commerce en se cachant comme une mère abbesse qui danserait le disco avec Belzébuth. Ce sont des gens qui vont à la banque en gémissant pendant tout le chemin. »*

L'important en l'affaire est l'explosion de la gastronomie française à l'étranger. La ruée sur le *french-food.* Au centre de Tokyo par exemple, on se croirait dans un petit Paris, un jour de 14 Juillet. Partout des drapeaux tricolores sur les charcuteries, les pâtisseries, les boulangeries, les restaurants à la française. On y trouve un Maxim's, copie conforme de l'établissement parisien. Les dames de la haute y prennent des cours de cuisine avant de passer à table. *« Manger français, c'est s'initier à la culture occidentale »,* m'expliqua un journaliste japonais. Une bouchée pour Voltaire, une gorgée pour Rousseau. Au Rengaya, un restaurant parrainé par Bocuse, se retrouvent les beaux esprits et les philosophes. Le beaujolais et le gras-double y servent d'introduction à la métaphysique sartrienne.

Aux États-Unis, c'est encore plus *crazy.* Reagan a bien tenté de remettre ses concitoyens au régime du *big steack,* qui fait les peuples forts. Peine perdue, les Américains crèvent le mur de la gastrolâtrie. Ils vendraient leurs âmes pour un camembert. Une ligue, fondée là-bas, aurait presque convaincu Christian Millau de prendre la place de la statue de la Liberté : enfin à sa vraie place, notre souverain pontifiant éclairerait le monde fourchette au poing. Le *New York Times* publie chaque mercredi dix pages de littérature culinaire. Dans la liste des best-sellers figurent en permanence deux ouvrages de recettes et deux de... régime. Les gourmets new-yorkais se bousculent au Lutèce, chez Soltner, un Alsacien rugueux qui refuse deux cents couverts par jour. Les fines gueules de Chicago se pressent au Français, chez Banchet, avec réservation obligatoire deux mois à l'avance, même pour Rockefeller. Banchet, qui a la dégaine Billancourt, fait son marché en Rolls, en Ferrari ou en Porsche selon son humeur. Lui, l'ancien bouillonneux de Roanne, il pose dans les magazines, un coq sur le bras et chantant : *« Je suis le cuistot le plus riche du monde. »* Il avoue, au bas mot, deux cent mille dollars de revenu annuel.

Il y a du mouron pour tous les petits oiseaux. Si l'on dresse le classement des chefs selon l'importance de leurs activités étrangères, devinez qui vient en tête ? Vous attendiez Bocuse. C'est Lenôtre Gaston, le pâtissier parisien, le restaurateur du Pré Catelan et du Pavillon de l'Élysée. Il a fait en 1985 cent cinquante millions de chiffre d'affaires hors de France. Quinze milliards de centimes. Il vend des douceurs, il fait le traiteur, il tient bonne table au Japon, aux États-Unis, en Arabie Saoudite, à Singapour, en Allemagne, en Suisse, au Brésil. Lenôtre le discret vaut bien un portrait. Vous le lirez à la suite.

Loin derrière arrive Bocuse. Il a signé avec Oncle Picsou à Epcot-Disneyworld. Dans ce luna-park où le monde entier a les yeux de Bambi, Bocuse, Lenôtre et Vergé parrainent le restaurant de France. Ils y font servir sous leur label quatre mille couverts par jour — vous lisez bien — et douze mille gâteaux. Le roi Paul chaperonne aussi un restaurant à Rio. Il vend du thé aux Japonais. Il a ses bonbons, son vinaigre, ses moutardes. Il promeut le beaujolais Dubœuf, les cuisinières de Rosières. Bref, à l'export, Bocuse and Co avoisine les dix millions de francs.

Viennent ensuite Guérard, ses chocolats belges pour les Yankees et ses surgelés Findus pour les Anglais. Puis Alain Chapel, le père abbé de Mionnay, celui-là même qu'on avait entendu des années jurant que lui, croix de bois, croix de fer, sur la tête de sa mère, on ne l'arracherait pas à sa Dombe. Petit farceur. Il anime déjà deux annexes, l'une à Kobé, au Japon, l'autre à San Francisco, sans compter qu'il est dans l'épicerie, les vins et les spiritueux. Suit la bande : Troisgros, Vergé, Outhier, Haeberlin, Blanc, Senderens, Vié, Daguin, Maximin, j'en passe, qui ont tous une poire pour la soif. Nos étoiles sont sur des trajectoires pailletées, ambassadeurs indispensables de la qualité française. Quand Bloomingdale, le plus chic des grands magasins newyorkais, a refait son *food department,* il n'a pas eu d'autre solution que d'aligner les gâteries signées Lenôtre, Guérard, Petrossian, Troisgros, Chapel, Corcellet. *« Nous voulions la meilleure boutique alimentaire du monde,* ironisa un vice-président de Bloomingdale. *Nous nous sommes aperçus qu'elle serait française aux trois quarts. »* Le sucré et le salé, pétrole de la France, le pays où les émirs portent la toque.

Quels profits en tirent les chefs ? *« Je passerai la consigne pour qu'on ne vous dise rien »,* avait prévenu Bocuse. Voici leurs tarifs. On les appliquera aux situations décrites afin de se livrer au jeu délicieux de calculer les revenus d'autrui. Quand un chef, tel Bocuse, fait bouillir lui-même la marmite pour le repas d'anniversaire d'un milliardaire texan, il touche, logé, blanchi, véhiculé, de trente à soixante mille francs la prestation. Quand deux fois l'an, comme Senderens, il assure par sa présence la notoriété d'un restaurant aux Amériques, il reçoit de cinquante à quatre-vingt mille francs par semaine de déplacement. Pour un parrainage plus étroit, avec location du nom tel Chapel à Kobé, le cachet annuel avoisinera les deux cent cinquante mille francs. Le chef donne-t-il des cours aux touristes, comme Vergé à Mougins ? La leçon coûtera cinq mille francs par tête et semaine. Conseille-t-il un industriel, ainsi que le fait Daguin pour le traiteur Rosell ou Gagnaire pour les cafétérias Casino ? Le contrat de consultant rapporte entre quatre-vingt mille et deux cent mille francs. Vante-t-il à la télé les charmes d'une gazinière ? C'est au moins un million de francs : *« Je suis payé autant qu'Alain Delon pour un film »,* bluffe Bocuse.

Est-ce trop ? Les chefs expliquent que leurs maisons ont besoin de cette manne. Qu'il leur faut cet argent pour *« rester libre à Mionnay »* (tel quel). Que les riches étrangers paient par le biais une part de nos additions. Que seuls le roi dollar, l'empereur yen et le kaiser mark assureraient la pérennité et l'éclat de la haute cuisine alors que les Français, ces fauchés, n'ont plus les moyens de l'entretenir. Je ne dirai pas ici que les chefs gagnent trop. Je leur reprocherai de n'avoir pas vu plus loin que le bout de leurs petits intérêts. Puisque, en quelque sorte, ils font commerce de la France, sans doute auraient-ils pu aller au bout de leur démarche.

Une première question : pourquoi les chefs ne contribuent-ils pas davantage à la lutte contre le chômage ? La France ne manque pas de jeunes qui voudraient travailler dans la restauration. Or combien de cuisiniers français exercent-ils hors des frontières ? Deux mille au plus quand il pourrait y en avoir une centaine de milliers à travers le monde. Seulement, il eût fallu que les grands chefs ne donnent pas à leurs commis étrangers des diplômes de cuisine tricolore. Il serait nécessaire que partout les restaurants français soient tenus par des gens qui ne le sont pas moins. C'est le contraire qui se passe : depuis une dizaine d'années, les chefs cachent dans leur cuisine deux ou trois marmitons japonais. Ces petits mignons n'auraient pas leur égal pour préparer les salades, fleurir les assiettes, réussir l'assaisonnement. *« Jamais un milligramme de sel en trop,* s'émerveille le chef Senderens. *Ils travaillent comme des ordinateurs. Ils ne sont jamais amoureux. »* Telle est la raison officielle, voici la vraie : les Japonais bossent souvent à l'œil. Alors, le chef a toujours besoin d'un petit Nippon chez lui, jusqu'au jour où, nanti d'une lettre laudative, après six mois de bonnes et loyales épluchures, l'étranger souriant tire sa révérence et retourne dans ses îles. Et il ouvre là-bas un restaurant français.

Au Japon, j'ai visité la monstrueuse école Tsuji. Elle fabrique deux mille cinq cents cuisiniers par an. Par des démonstrations télévisées, elle leur apprend l'art du cru et du cuit. Qui a le plus contribué à la célébrité de l'établissement ? Cette fois, vous avez bien deviné. Tsuji, le directeur, est un ami très cher de " monsieur Paul " (Bocuse), lequel s'est rendu une vingtaine de fois à Osaka pour y donner la leçon. Souvent il était accompagné de la bande des Lyonnais, de ses amis Vettard, Lacombe, Bourrillot, Jaloux, Alix. M. Tsuji les recevait comme des mamamouchis. Ils connurent les plaisirs défendus que l'empire du soleil levant réserve à ses hôtes célestes. Ils furent filmés la main dans la casserole. L'honorable Tsuji nota avec piété leurs recettes. Il en fit plusieurs livres, dont il empocha les droits. Il sortit aussi une brochure publicitaire sur son école : on y voit côte à côte la bande des Lyonnais hilares. *« Un vrai bon restaurant français peut-il être tenu par un cuisinier japonais ? »* ai-je demandé au gentil Tsuji. Il a eu l'air peiné : *« Demain, ils seront tous tenus par des Japonais. »* Tous les restaurants soi-disant français de l'Extrême-Orient et du Grand Pacifique, vaste marché.

Au moins, s'inquiétera-t-on, si nous n'exportons pas de marmitons, au moins profitons-nous des aventures des grands chefs pour promouvoir les produits français à l'étranger ? Pas seulement le pinard. La vaisselle, l'orfèvrerie, le matériel de cuisine, il y a de quoi faire pour des braves. Lorsque j'ai posé la question dans nos ambassades de Tokyo et de Washington, elle laissa les conseillers commerciaux si perplexes qu'ils mandèrent leurs adjoints, dont l'indécision ne fut pas moindre. *« Impossible de travailler avec les grands chefs,* soupira le directeur pour les États-Unis de *Food and Wines from France. Quand ils débarquent à New York, c'est la Callas. Ils arrivent avec une valise pleine de leurs portraits dédicacés. »*

Les cuisiniers sont montés trop vite dans le ciel des médias. Avant les années soixante, ils végétaient, alcoolos, dépenaillés, dans des arrière-salles malsaines. Aujourd'hui, ils battent en dandys les estrades. Prophètes épicuriens dont les livres de recettes passent pour écritures saintes. Aussi papillonnent-ils lorsqu'ils voyagent. Ils lutinent, butinent, courant à l'étranger pour leurs problèmes de cœur, de fisc ou d'héritage quand on les imagine fondant des affaires. Les Japonais disent d'eux : *« Ce sont d'incorrigibles promeneurs. »* Mais les choses vont changer... Mis au fait du problème, Jack Lang, l'ancien ministre de la Culture, a vite nommé une commission, l'eussiez-vous deviné ? Laquelle s'est nichée dans le fromage. L'eussiez-vous pressenti ? Elle a créé une École nationale des arts culinaires dont le conseil — l'eussiez-vous cru ? — comprend : Bocuse, Guérard, Vergé... Aux mêmes, le bon beurre.

Lenôtre Ier, roi des babas

« Chaque fois que je signe un contrat, après je fume un cigare. » Il est tout entier dans cette phrase, Lenôtre Gaston, le pâtissier. Il n'allume un havane que s'il conclut une affaire en dollars avec les Japonais ou les Saoudiens. A sa place, je m'offrirais un cigare chaque jour, histoire de fêter une exceptionnelle réussite : Gaston, le boutiquier de Pont-Audemer, qui est devenu le traiteur le plus fameux du monde. Et qui court encore à soixante-dix berges, qui court après son rêve : fonder un empire pâtissier, la première multinationale de la meringue et du baba au rhum. Gaston au sceptre de sucre d'orge. Qui est donc ce Lenôtre assez malin pour faire fortune de toute crème ?

Le bonhomme est haut comme trois choux à la crème. La première fois que je le vois, il me tombe dans les bras comme si nous avions battu nos premiers œufs ensemble. Il me tutoie, je le vouvoie, il s'entête et m'offre un kilo de chocolats. " Gaston ", c'est ainsi qu'il prétend que je l'appelle, Gaston me donne parfois de l'urticaire. N'est-il pas trop gentil pour être désintéressé ? Je l'ai vu se faire tout miel devant cent journalistes, rouler dans le moka cinq cents politicards, saupoudrer de sucre un bon millier d'artistes. Sans doute cette attitude s'explique-t-elle par ses origines modestes.

Il vient d'une petite ferme normande. A seize ans, apprenti pâtissier, le voici qui monte à Paris. Déjà il ne doute de rien : il a choisi de se faire embaucher chez Coquelin ou chez Rumpelmeyer, dans les meilleures maisons de la capitale. On lui rira au nez. Il aurait juré alors de prendre sa revanche, de mettre Lutèce à ses pieds. En attendant, il ouvrira une pâtisserie en province, à Pont-Audemer. L'imprévu est qu'il y restera vingt ans, rongeant son frein. Entre-tremps il y eut la guerre, puis les atermoiements de la IVe République, tout un environnement contraire aux desseins conquérants. L'heure de Lenôtre Ier sonnera avec celle du Général. Gaston sera le pâtissier du gaullisme triomphant, la pièce montée du pompidolo-giscardisme.

Quittant enfin sa Normandie, il s'installe en 1957 rue d'Auteuil, dans les beaux quartiers de Paris. Il a *« déjà »* trente-sept ans. *« Si, aujourd'hui, je cours encore, c'est après le temps perdu »,* confie-t-il. Il ouvre sa deuxième pâtisserie parisienne en 1962. (Maintenant il en a une dizaine.) La même année, sans plus attendre, il élargit son activité au métier de traiteur. Bientôt il dresse partout tant de buffets grandioses que, pour en assurer la fabrication, il doit bâtir une usine à Plaisir, en banlieue parisienne. Une usine à produire des mignardises ! Du jamais-vu dans la profession. Lenôtre emploie sept cents personnes. Premier pâtissier de France, premier traiteur. Il " pesait " vingt-cinq millions de centimes à son arrivée à Paris, il en vaut mille fois plus. Donne-t-on une party à l'Élysée ? Le plus souvent, c'est lui qui apporte le champ' et les petits fours. Un roi nègre fait-il la bamboula dans la brousse ? Gaston accourt par avion avec les marmites toutes chaudes. Bref, ses affaires gazouillent et il fait tant de bénéfices sucrés qu'il s'est offert — *« les joyaux de l'empire »* — les deux plus chouettes gargotes de la capitale : le château gourmand du Pré Catelan, en plein bois de Boulogne, et le pavillon de l'Élysée sur les Champs, dont il a fait deux très bonnes tables, vite achalandées. Voilà belle lurette que Paris s'est rendu au mitron.

« Dis donc, pourquoi as-tu réussi aussi bien, Gastounet ? » (Comme il est si gentil, je me laisse aller avec lui à quelque familiarité contraire à mon éthique professionnelle.) Gastounet ne se fera pas prier pour raconter. C'est un type bougrement expéditif dans les affaires. Je résume son propos. Il a suivi deux recettes.

La première : il a toujours inventé des gâteaux. Par exemple celui-ci, à base de pâte de macaron et de crème de nougatine. Sans hésiter, il le baptisa " Succès ", lequel gâteau en effet connaîtra une gloire si gourmande qu'il fera le tour du monde. Le mérite de Lenôtre fut d'être le premier à rajeunir l'art figé de la pâtisserie. Il confectionna des gâteries plus légères. Faites avec moins de farine et d'alcool mais davantage de crème-fleurette et de mousse de fruit. La France sortait des grandes faims de l'après-guerre. Elle se laissera conter que les gâteaux du maître font maigrir ou tout comme.

La seconde recette : Lenôtre installera toujours ses boutiques bien au chaud, dans les beaux quartiers de la capitale. De sa mère, qui fut un temps cuisinière chez le baron Pereire, il a retenu un conseil : que mieux vaut nourrir les puissants que les humbles, dès lors qu'on exerce un métier de bouche. Ne jamais oublier que riche affamé a deux oreilles. Ce constat l'amènera à s'acheter une chasse seigneuriale de deux cents hectares en Sologne. *« Ma seule folie »,* s'excuse-t-il, roublard. En fait, à y regarder de près, la danseuse lui rapporte autant qu'elle lui coûte. Dans sa propriété, Lenôtre reçoit avec cérémonie la finance, la presse, le barreau et la politique, toutes gens fort utiles. Il invite ses gros clients, lesquels par la suite doubleront leurs commandes. Lenôtre fait le coup de feu avec les milliardaires, Floirat, Dassault et d'autres. Dassault est de ceux qui ont assis sa réputation quand il lui confiait chaque année le buffet monumental du salon aéronautique du Bourget, une semaine entière de fine bouffe. *« C'est très bien ! Continuez, mon petit Lenôtre »,* lui écrivait souvent son ami, le bon Marcel Dassault.

J'ai pu observer Lenôtre en voyage à Rio. Moi, je tirais la langue devant les métisses qui ondulent en mini-bikini si mini à Copacabana. Pendant ce temps, Gaston léchait les vitrines rococo des pâtissiers locaux : lui, l'empereur, il espionnait. Dans la plus petite pâtisserie, il recherchait une bonne idée à exploiter. Il a toujours sur lui un méchant bout d'enveloppe. Il n'arrête pas d'y gribouiller des trucs qui lui passent par la tête. C'est de cette manière qu'à cinquante-cinq ans — l'âge de la retraite pour les autres —, après avoir pris Paris, lui est venue l'envie de conquérir le monde. La ville lumière à ses pieds, il lui fallait l'univers.

D'abord il y eut Berlin, Hambourg, Francfort, Munich, où les magasins KDV lui confièrent l'approvisionnement de leur rayon gourmet. Puis il y eut le Japon, où la chaîne de supermarchés Seibu l'installa dans une quinzaine de boutiques. Il y eut ensuite la Suisse, l'Arabie Saoudite, Singapour, le Canada. Il y eut la Floride avec la pâtisserie française ouverte à Disney-world-Epcot. Lenôtre fait aujourd'hui la moitié de son chiffre d'affaires à l'exportation. C'eût été davantage s'il n'avait connu un échec de taille. Il avait fait construire une usine à Houston aux États-Unis. Elle devait approvisionner en douceurs les boutiques qu'il aurait ouvertes à Dallas, Los Angeles, San Francisco et Manhattan. Alain Lenôtre, le fils prodigue, chargé du projet, eut les yeux plus gros que le ventre. Il fit un déficit d'une quinzaine de millions de francs que le bon papa dut combler en cédant une part minoritaire du capital de son entreprise au groupe Accor-Novotel. Ce même Gaston jurait un an avant : *« Jamais ma maison ne sera dirigée par un financier. L'affaire ne marche bien que parce qu'il y a douze membres de la famille Lenôtre aux postes clés de l'entreprise. On a beau dire : les gens extérieurs à la famille, ce n'est pas leur argent qu'ils risquent. Cinq cents francs, c'est si vite perdu. Je dois veiller à tout. »*

Sacré Gaston, tu resteras toujours le petit paysan normand. Le mitron fâché que les cuisiniers, les *chefs,* se moquent de l'art tenu pour mineur de la pâtisserie. Du coup, tu leur as inventé pas moins de cent gâteaux. Au début, tu les baptisais du prénom de tes fiancées normandes. Maintenant, tu les appelles " Opéra ", " Pompadour ", " Concorde ". C'est ça, la réussite. A quarante ans, tu n'avais jamais pris l'avion. De tous les *jet-chefs,* te voici le plus aérien. *Urbi et orbi,* tu règnes sur le ventre des dévotes gourmandes et le bedon des tout-puissants. Je t'ai bien regardé quand tu es occupé, comme souvent, à choyer un président sud-américain ou une star hollywoodienne. Tu les couves avec des yeux de gosse et il me semble pourtant que tu leur fais les poches, pendant que tu les embrasses avec fougue.

Les loups du hamburger sont entrés dans Paris

« Êtes-vous fast-food au moins ? » m'agresse Marc-Philippe Rochet, le roi français du hamburger. Je l'imaginais honteux de son vilain métier, plaidant qu'il faut bien gagner sa vie, s'excusant à mi-voix du foudroyant succès que ses initiatives rencontrent auprès d'une population boutée par la difficulté des temps hors de ses chères habitudes gastronomiques. Mais non, il triomphe, fanfaronne. L'avenir leur appartient : gloire et richesses pour les industriels du fast-food ! Qui se contrefichent bien du sombre avenir de la blanquette de brebis aux petits oignons nouveaux. Vous poursuivent de communiqués orgueilleux. Vous bousculent pour que vous citiez leurs marques et **en gras.** Vous accablent de prévisions terrifiantes. Les loups du hamburger sont entrés dans Paris.

Il n'y avait en France que cent unités de fast-food en 1980. Elles étaient un millier cinq ans après. Et les perspectives apparaissent colossales : *« La restauration rapide ne sert encore que 2,5 % des repas pris hors foyer contre 5 % pour l'Europe et 20 % pour les États-Unis,* exulte Rochet, le patron de Quick. *Nous allons tripler puis décupler nos résultats car, aux chiffres déjà cités, j'ajoute ceux-ci : le Français ne prend encore qu'un repas sur sept hors de chez lui quand l'Américain en est à un sur trois. Nous pouvons tout espérer. »* (Ou craindre ?) Ils ne parlent que de taux de croissance, d'investissements, de nouveaux créneaux, de stratégie de conquête, ces petits ogres du fast-food, à l'appétit dévoyé. Vous aviez dit cuisine ? *« Erreur grossière,* ricanent-ils. *Si vous croyez que notre métier ne consiste qu'à mettre de la viande hachée et du ketchup dans un petit pain... »* Vous auriez dû dire : business, industrie, marketing, un vrai travail de professionnel.

D'abord l'enseigne. Capitale, l'enseigne. Sonnante et clinquante telle une belle américaine. Deux mots, trois au plus. Un seul, c'est super. Énumérons par ordre d'importance : Quick, O'Kitch, Freetime, Mac Donald, Burger King, Manhattan Burger, Bun and Burger, Katy's Burger et un... Asterix Burger, l'honneur gaulois est sauf.

Ensuite le personnel. Essentiel, le personnel. Jeune, très jeune, au pire estudiantin. Sa première expérience de travail. Donc *« flexible, dynamique, souriant ».* En tout, par unité, une trentaine d'*« équipiers et d'équipières ».* Notez le vocabulaire. Significatif, le vocabulaire. Ce n'est pas l'usine. Appréciez le décor.

Primordial, le décor. Jaune, vert, rouge. *« Clean »,* quoi. *« Dynamique »,* sans trop de sièges pour que *« ça circule vite ».* Avec une musique d'ambiance : *« hard ou soft »* selon la clientèle *« ciblée ». « Convivial tout de même »,* car on se retrouve autour des *« mange-debout »* dix minutes côte à côte pour déguster le burger. Un fast-food exemplaire débite ses cinq cents clients à l'heure. Ce qui pose une redoutable équation de *timing : « Le client ne doit pas attendre le burger et le burger ne doit pas attendre le client. »* Le burger parfait doit être préparé à l'instant même où celui qui le consommera pousse la porte du restaurant. Vital, le *timing.* Tel est le secret du métier : servir à la seconde un burger chaud à un client, dont on ne sait à quelle minute précise il entrera. Si le burger n'est pas consommé dans les quinze minutes, la règle incontournable est qu'il sera jeté.

Sans rire, il y a plus de technicité qu'on ne l'imagine dans le fast-food. Pesée au gramme près, la rondelle de viande. Quarante et un grammes chez l'un ; quarante-trois chez l'autre, dont huit grammes de graisse pour le premier et douze pour le second. Par exemple, qu'est-ce qu'un Big M ? Soixante centimes de pain, deux francs vingt-cinq de viande, trente-deux centimes de " cheddar cheese ", vingt centimes de sauce, légumes et condiments, ainsi que huit centimes de papier d'emballage sulfurisé. Même la portion de frites est diaboliquement calibrée. C'est elle qui rapporte le plus. Avec les " soft drinks ". Juteux, ceux-ci. Deux francs et un centime de profit brut aux vingt-cinq centilitres (source Pepsi Cola). Les fast-food ne doivent servir que des " soft drinks ", c'est l'abc du métier. En France, ils se sont risqués à la bière ; de faible degré, n'ayez peur. Mais pas de vin. *« Il ne fait pas américain. »* Le langage non plus ? Branché, câblé, le langage. Dites " patty " pour viande ; " fish " pour poisson ; " bun " pour pain ; " stand-frites " pour friteuse ; " gun " pour la seringue à sauce ; " broiler", " steamer", " snacker ", " toaster " pour l'appareillage.

« Et la soupe aux choux, là-dedans ? ai-je hasardé. — *Vous n'y pensez pas,* s'émeut Rochet, le roi du burger. *Servir une salade est déjà à la limite du système. »* Quand une chaîne de fast-food sort un nouveau produit, comprenez bien, peuple de France, qu'elle a travaillé dessus pendant une année pour le peaufiner. Douze mois de travail avant de sortir un " bun " (un petit pain) par exemple. Chez Quick, le fabuleux " bun ", qui entre dans la composition de l'extraordinaire " big-bacon ", fait l'objet d'une notice ultra-secrète de fabrication, laquelle ne comprend pas moins de cinq pages de spécifications enthousiasmantes. Ah, je deviens lyrique ! C'est que j'ai sous les yeux une pieuse brochure, qui porte au pinacle les qualités insoupçonnées du fast-food. Je cite : *« Le steack haché est du pur bœuf surgelé. Les petits pains sont livrés tous les matins sous une enveloppe de cellophane hermétique. Les frites sont tirées de pommes de terre congelées au sommet de leur maturité, ce qui leur assure un taux de matière sèche de 36 %. Les délais de consommation du poisson surgelé sont toujours inférieurs à quatre mois. »*

Que veut le peuple ? La dernière mode est de se précipiter en voiture dans les drive-in pour y manger les mêmes nourritures molles que dans les fast. Ce qui plaît aux " drivers ", d'après un sondage, c'est qu'ils n'ont même plus à *« chercher une place pour se garer » ;* que *« manger en auto, c'est intime »,* alors que dans un fast-food ils y vont surtout en famille. Que veut le peuple ? Pour demain on lui promet, comme aux " States ", des fast-food mexicains et chinois. Ah, du moment que c'est comme aux " States "... Tant pis pour la soupe aux choux.

La deuxième révolution française

« Voici le meilleur repas que vous ferez dans votre vie. » Georges Pralus se moque-t-il ? Il me met sous le nez six vulgaires sachets de plastique. *« Filet de sandre à l'effilochée de légumes »,* annonce-t-il, solennel, en me fourrant le premier paquet dans les mains. Je tâte, je flaire le drôle de poisson sous enveloppe. Appétissant comme une préparation pharmaceutique. *« Rouget de roche avec son foie confit,* enchaîne-t-il, agitant la deuxième pochette. *Ensuite, sole aux écailles de légumes. Carré d'agneau, fonds d'artichauts. Confit de canard aux pommes sarladaises. Gâteau au chocolat, au kiwi et à l'orange. »* Gastronomie, ces nourritures lunaires ? Ce prêt-à-manger, pré-emballé, pré-cuisiné ? Pralus jette les sachets dans une marmite d'eau frémissante, tout pêle-mêle, le poisson blanc avec la viande rouge. Ouf, il n'a pas mis dedans le gâteau au chocolat ! *« Cinq petites minutes de patience,* triomphe-t-il. *Et vous passerez à table pour le repas du siècle. Et même du vingt et unième siècle. »* Moi, à ce moment-là, j'aurais filé chez Mac Do', si je n'avais lu que le sérieux *Washington Post* qualifie la cuisine sous vide de Pralus de *« deuxième révolution française ».*

« On vient me voir du monde entier », jubile le chef. Il m'impose la lecture de son livre d'or, déclame les dédicaces les plus élogieuses. *« Vous avez vu ce qu'a écrit Troisgros ? Et Guérard ? »* Toutes, elles sont venues chez Pralus, les vedettes de la show-bouffe. Dans ce patelin de Briennon, au sud de Roanne, dans l'antre du petit inventeur parmi les épluchures de légumes et les monceaux de paperasse. Quand il donne la leçon aux maîtres de la gastronomie, Pralus met sa plus haute toque et enfile la blouse blanche, brodée à son nom. Georges en bleu, Pralus

en rouge. Il s'installe au tableau noir, trace deux colonnes et, plus sérieux qu'un pape de la Silicon Valley, lui qu'on verrait plus volontiers vantant une marque de cassoulet avec sa grosse moustache et ses formes rebondies, il engage un parallèle audacieux : *« la cuisine sous vide est aussi révolutionnaire que l'informatique »*.

Suit la leçon magistrale. *« A l'ordinateur,* commence-t-il, *correspond la machine à mettre sous vide. »* De loin, entre nous soit dit, on dirait une photocopieuse. Grave erreur, il s'agit d'un matériel mis au point par lui-même, *« Pralus le charcutier, le cousin de Pralus le pâtissier de Roanne »,* avec l'aide — tout de même — de la multinationale américaine Grace-Cryovac. *« La disquette de l'ordinateur,* poursuit le maître, *c'est le sachet »,* une poche plastique de haute technicité, dans laquelle le vide est fait après l'introduction de l'aliment. Celui-ci est encore à l'état cru, notez bien, c'est un point essentiel. *« L'imprimante ? C'est le four à vapeur humide »,* lequel cuit à basse température les denrées empaquetées. *« La mémoire centrale ? C'est la cellule de refroidissement »,* une machine capable de baisser rapidement la température des sachets cuisinés et de les stocker entre zéro et trois degrés. L'avantage est qu'ils peuvent y rester, sans aucune altération de la qualité des aliments, au moins pendant trois semaines. Après quoi, au moment de servir, les pochettes seront juste réchauffées. Enfin *« le software, le logiciel de la petite merveille (le "comment bien cuisiner sous vide"), c'est le procédé Georges Pralus ».* Le maître a dit tout cela sans aucune modestie. Lui, l'ancien commis de charcuterie, hier on le prenait pour un ballot, aujourd'hui on l'honore pour sa ballottine sous vide de lapin aux champignons des prés. *« Économique, diététique, gastronomique... le traiteur Pralus a inventé la cuisine du XXIe siècle »,* s'emballe le journal *les Échos.*

Gastronomique ? Justement, voilà cinq minutes que *« le meilleur repas de ma vie »* fait trempette en dessus-dessous dans l'eau frémissante. Pralus va à la pêche et sort les sachets de poissons. Il donne juste un coup de ciseaux. Sitôt dit, sitôt prêt, il n'y a pas loin de la pochette à l'assiette, juste le temps de dresser en beauté les aliments. Je me retrouve sommé de goûter sans faiblir et le filet de sandre et le rouget de roche et la sole aux écailles de légumes. Que le grand cric me croque à mon tour si je mens, et que la jalousie vous pique, cher lecteur : c'était délicieux.

Le sandre avait ce petit goût d'herbes et d'algues qui distingue le bon poisson de la Loire. On eût dit que le rouget frétillait dans l'assiette. La sole sentait l'air marin plus que la fadeur angevine. Le procédé Pralus accentue les avantages de la cuisson traditionnelle en papillotes. Les poissons cuisent à huis clos sans subir d'oxydation, ce qui accentue leur saveur.

« Vous n'avez encore rien goûté », s'amuse le magicien. Tel Christophe Colomb découvrant son œuf, il sortit de la marmite le carré d'agneau et le confit de canard. Sous l'épiderme doré à point, le carré d'agneau affichait la même couleur uniforme, rosé tendre. Et le confit était moelleux à cœur sans que le pourtour ait l'aspect racorni des pièces épaisses. Préparée sous vide, la viande est plus onctueuse, elle cuit tout en douceur car le procédé évite la contraction des fibres musculaires. *« Donnez-moi du bœuf à braiser,* affirme Pralus, *j'en fais du rôti. »* Galéjade ? Je n'ai pas trouvé de grands chefs pour dire que l'inventeur invente. Ils sont tous revenus de Briennon comme de Lourdes, convertis par le miracle de la transformation du pot-au-feu en rosbif.

Sur le front embué des marmites, il y a comme une révolution qui se mijote. Rêvons un peu. Un soir de l'an de grâce 1994, vous emmenez madame dîner dans les ors et les glaces du célébrissime restaurant le Lucas-Cotton. Surprise : Dieu le chef est à l'entrée qui vous accueille avec sa tête de pâtre grec. Il vous tend la carte du jour, longue comme une ode gourmande du grand Apicius. Vous lui commandez treize plats servis en portions vénusiennes. Dieu le chef pianote l'ordre sur un ordinateur. Puis, sans s'inquiéter de la suite, il philosophe sur les mets choisis. Y a-t-il un chef aux fourneaux ? Nenni, en 1994, la cuisine sera une chose trop sérieuse pour qu'on la confie aux cuisiniers. Selon la méthode devenue célébrissime de l'inventeur Pralus, un laboratoire central, équipé des derniers perfectionnements de la cuisson sous vide, aura préparé à l'avance des milliers de plats. (Ceux-ci exécutés bien sûr selon les recettes dictées par le grand chef.) Le labo les aura conditionnés en portions puis livrés au restaurant où ils auront été entreposés en chambres froides jusqu'au moment du service.

« Pourquoi attendre 1994 ? s'énerve Georges Pralus. *La chose a déjà lieu. »* En effet, le 1er janvier 1984, à l'hôtel Hilton de Bruxelles, le chef a servi un repas de réveillon qui avait été cuisiné sous vide en 1983. En France même, au pavillon d'Ermenonville, le 23 novembre 1984, les sept cents invités de la chaîne Relais et Châteaux ont fait un banquet grandiose. Troisgros, Savoy et d'autres toques étoilées étaient aux fourneaux... la veille.

Le chef de l'an 2000 cuisinera comme un ordinateur. Le lundi, pour la semaine, il fera sous vide toutes les viandes. Le mardi, avec les petits légumes juste cueillis, il préparera les garnitures. Le vendredi, jour de la marée fraîche à Rungis, il cuira les poissons. Et le samedi, les plats mijotés à l'ancienne, la daube et le miroton qu'auparavant, dans la bousculade quotidienne, il ne pouvait plus faire. La cuisine bourgeoise, dont tout au long du livre j'ai souligné la disparition, sera-t-elle sauvée par la technique du sous-vide ? J'ai rencontré chez Pralus le patron d'une chaîne de restaurants de poissons : *« Fantastique !* s'écria-t-il. *Aujourd'hui, dans chacun de mes établissements, j'ai un chef de valeur moyenne. Je ne peux pas mettre au fourneau un grand professionnel, il me coûterait trop cher. Sitôt mon retour, je vais tout changer. Je m'offre un seul grand cuisinier, au prix fort. Je l'installe dans une cuisine centrale en Bretagne, où il travaille le poisson plus frais. Et de là-bas, en sous-vide, j'approvisionne mes restaurants. »*

Il n'y a qu'une limite en l'affaire : l'honnêteté du cuisinier. Le grand Raymond Oliver s'était exclamé un jour : *« Si vous surgelez de la merde, vous n'obtiendrez que la merde. »* Avec le procédé Pralus, imaginez... puisque l'opération provoque une concentration des arômes, si l'on ose écrire. *« Cuisez des navets nouveaux sous vide,* appuie le chef Robuchon, *le résultat est enthousiasmant. Mettez-y des navets de trois mois, au goût plus fort, c'est immangeable. »* La fraîcheur du produit et l'hygiène dans les manipulations sont indispensables. *« Mon procédé exige que la cuisine devienne une salle d'opération »,* admet Pralus.

Casino, le plus grand restaurateur de France, fut aussi le premier à mesurer les perspectives ouvertes par le nouveau procédé. L'abattoir du groupe, la Sabim, mitonne des petits plats ! Il transforme en bœuf bourguignon, civet de porc et canard au poivre vert une partie des viandes qu'il collecte. Puis il les expédie sous vide dans les cafétérias Casino. *« Dans deux ans, les magasins du groupe vendront ces plats aux ménagères, en marchandise à emporter. Je ne vous en dis pas plus. Je ne veux pas alerter nos concurrents. C'est un très gros marché d'avenir »*, raconte de mauvais gré le directeur de la Sabim.

C'est la star Michel Oliver qui signe les pochettes-repas de Casino. Demain Bocuse, Lenôtre, Troisgros, Guérard envahiront de leurs sourires aux dents longues les emballages rutilants de la nouvelle cuisine sous vide. On fera tous la fête avec son petit paquet de grand chef pour soi. Après tout, il s'en fiche, Pralus, que l'affaire profite aux mêmes. Il brûlerait ses meubles pour assurer le succès de son procédé. Lui, il guigne le septième ciel : *« C'est comme si je les voyais là-haut, les cosmonautes de la navette spatiale. Je les vois ouvrir leur petit sac Georges Pralus de bœuf miroton. »* Ce jour-là, par l'odeur alléchés, les petits hommes verts frapperont au hublot.

Après cette littérature
à table !
Avec de grandissimes chefs qui s'amusent...
Vous en attendiez des merveilles nouvelles.
Ils vous font des plats
ruraux
rigolos,
roboratifs.
Pour que le livre ne finisse pas
sur le mot FAIM.

Les recettes charentaises de Joël Robuchon

*

Trois étoiles au guide Michelin
19,5 au Gault et Millau
Quatre étoiles au Bottin gourmand

*

32, RUE DE LONGCHAMP
75116 PARIS
TÉL. : 47 27 12 27

Ravioles de cagouilles aux herbes

MARCHÉ POUR 6 PERSONNES

36 cagouilles (escargots petits-gris)	***1/2 l de vin blanc***
1 carotte	***1 oignon***
4 échalotes	***1 bouquet garni***
200 g de petites girolles nettoyées	***180 g de beurre***
5 cuillères à soupe de crème double	***250 g de farine***
1 cuillère à soupe d'huile d'arachide	***1 pincée de thym***
200 g de persil équeuté	***Sel, poivre et coriandre***

La veille

1. Laver les escargots plusieurs fois et les plonger 5 mn dans de l'eau bouillante. Les égoutter, les rafraîchir et les retirer des coquilles. Oter l'extrémité noire de chaque escargot.
Les mettre dans une casserole avec 1/2 l de vin blanc, 1/2 l d'eau, 1 carotte, 1 oignon, 1 échalote, 1 bouquet garni, 10 graines de coriandre, sel et poivre. Porter à ébullition, écumer et les cuire à petite chaleur 2 h 30. Les laisser refroidir dans leur cuisson. Conserver au frigo.
2. Mélanger 250 g de farine avec 1 dl d'eau bouillante et 2 g de sel. Laisser la pâte obtenue reposer au frigo.

Mise en place

Plonger 2 mn le persil bien lavé dans de l'eau bouillante salée. Le rafraîchir à l'eau froide, l'égoutter et le mixer.
Dans 30 g de beurre, faire cuire 2 mn 2 échalotes hachées. Ajouter 100 g de girolles hachées, cuire 5 mn. Hors du feu, incorporer 25 g de persil mixé. Saler et poivrer.

Finitions

Étendre la pâte le plus finement possible. Enrober individuellement les 36 cagouilles de farce et les déposer à intervalles réguliers sur la bande de pâte à 1 cm du bord. Replacer la pâte par-dessus. Découper les ravioles avec un emporte-pièce. Pincer bien les bords entre les doigts.

La sauce

Faire réduire de moitié 1 dl de cuisson des cagouilles dans une casserole. Ajouter 1 cuillère à soupe de crème double et réduire de moitié. Ajouter en fouettant 70 g de beurre, puis 1 pincée de thym, sel et poivre.
Porter sur le feu dans une casserole 30 g de beurre et le reste du persil mixé. Ajouter 4 cuillères à soupe de crème double en fouettant. Saler, poivrer et réserver au tiède.
Dans une poêle, faire sauter dans 40 g de beurre le reste des girolles avant de retirer du feu.
Pocher les ravioles 1 mn 30 dans une grande quantité d'eau bouillante additionnée d'une cuillère à soupe d'huile. Les égoutter et les rouler rapidement dans la sauce parfumée au thym.

Présentation

Disposer, au centre des assiettes chaudes, une cuillère à soupe de crème de persil étalée en couche fine, les ravioles en couronne sur celle-ci et les champignons au-dessus. Terminer avec un fin cordon de beurre autour de la crème de persil.

Chevreau rôti et persillé à l'ail vert

MARCHÉ

1 gigot de chevreau	***150 g de pain de mie***
2 gousses d'ail	***2 cuillères à soupe de persil haché***
1 cuillère à soupe d'huile d'arachide	***1 pincée de thym***
1 petite carotte	***80 g de beurre***
1 oignon moyen	***3 brins d'ail vert ciselés très fins***

En l'achetant, demander au boucher de vous donner les parures du gigot, et en particulier les os concassés du quasi et l'os du manchon.

Préparation

Préchauffer votre four à thermostat 8. Dans le fond du plat, déposer les parures et les os concassés. Ajouter 2 gousses d'ail dans leur peau, coupées en deux. Déposer le gigot sur les parures. Le badigeonner d'une cuillère à soupe d'huile d'arachide. Parsemer en surface d'une pincée de thym.

Cuisson

Mettre à four chaud. 10 mn après le début de la cuisson, quand le gigot commence à dorer en surface, saler et poivrer et ajouter une petite carotte et un oignon moyen coupés en gros morceaux. Retourner le gigot trois ou quatre fois en cours de cuisson et l'arroser de sa graisse.

Finition

Pendant la cuisson du gigot, préparer la persillade. Pour cela, prendre la mie de 150 g de pain de mie, la mixer pour la réduire en petits grains et la passer à travers une passoire à tamis fin pour la rendre plus fine encore.
La mélanger avec 2 cuillères à soupe de persil haché, les 3 brins d'ail vert ciselés très fins et 80 g de beurre en pommade. Ajouter une pointe de sel.

Après 30 à 35 mn de cuisson, sortir le gigot du four. Le mettre sur une assiette retournée, elle-même posée sur une assiette plus grande. L'assaisonner de nouveau, et laisser reposer de 20 à 25 mn. Vous pouvez le mettre sur la porte du four ouvert et éteint.

Confection du jus

Mettre le plat de cuisson avec les parures et la garniture aromatique sur le feu pour faire caraméliser les sucs dans le fond du plat sans les brûler ; puis jeter le gras et déglacer avec 1/4 l d'eau. Gratter bien le fond du plat pour faire dissoudre les sucs. Faire réduire de moitié à petits bouillonnements. Puis passer le jus au chinois, rectifier l'assaisonnement et le verser dans une petite casserole.

Dressage

Avec la main, recouvrir le dessus du gigot (la partie la plus bombée) d'une pellicule uniforme de persillade, en descendant le plus possible sur les côtés. Remettre le gigot à four très chaud, ou mieux sous le gril du four, pour faire légèrement blondir la persillade. Attention de ne pas la faire brûler. Sortir du four et le découper.

Tarte caillebotte du Poitou

MARCHÉ POUR 8 PERSONNES

350 g de fromage blanc bien égoutté
3 jaunes d'œufs
70 g de sucre en poudre
100 g de crème fraîche
250 g de pâte sablée
1 zeste de citron haché
Sucre glace

Préparation

Faire un cercle à tarte de pâte sablée.
Mélanger avec un fouet les jaunes avec le sucre. Ajouter le zeste de citron haché, la crème fraîche et le fromage blanc.

Cuisson

Garnir le fond de tarte d'un papier sulfurisé, le recouvrir de légumes secs et le précuire dans un four thermostat 6, 8 à 10 mn environ.
Retirer le papier et les légumes secs.
Garnir avec le mélange au fromage blanc. Remettre dans le four thermostat 6, et cuire 30 mn environ.

Dressage

Retirer le cercle et saupoudrer de sucre glace.

Les recettes alsaciennes de Jean-Louis Schneider

*

14 au Gault et Millau
Une étoile au Bottin gourmand

*

L'ARSENAL
11, RUE DE L'ABREUVOIR
67000 STRASBOURG
TÉL. : 88 35 03 69

Fritots de coquelets à la bière

MARCHÉ POUR 4 PERSONNES

2 coquelets ***1 bouteille de bière brune*** ***Carottes, oignons, navets, poireaux et aromates comme pour le pot-au-feu***	**Pâte à frire** ***200 g de farine*** ***2 cuillères à soupe de beurre noisette*** ***25 cl de bière blonde*** ***3 blancs d'œufs***

1. Couper les coquelets en quatre en enlevant le maximum d'os.
2. Préparer un bouillon avec les légumes, la bière brune et les aromates, laisser frémir pendant 15 mn.
3. Préparer la pâte à frire ; la laisser reposer 15 mn ; y incorporer les blancs en neige au dernier moment.
4. Pocher les coquelets dans le bouillon pendant 20 mn environ ; les éponger ; les rouler dans la pâte à frire ; puis dans une huile à frire bien chaude. Dès que leur peau sera croustillante, les laisser égoutter quelques instants.
5. Servir avec les légumes du bouillon.

Les grands gourmands mangeront ce plat accompagné d'une sauce à la bière, dont la recette est la suivante :
Faire réduire, sans gras, 1 cuillère à soupe d'échalotes hachées et 25 cl de bière brune.
Ajouter 20 cl de bouillon de cuisson, et, après réduction, 3 cuillères à soupe de crème double.
Dès que la sauce aura atteint la consistance voulue, y adjoindre de la ciboulette hachée.

Le bœuf fondant au pinot noir

MARCHÉ POUR 4 PERSONNES

1 kg de jarret de bœuf désossé
4 carottes, 2 oignons, 2 poireaux,
2 navets, cerfeuil haché
1 cuillère à soupe
de concentré de tomates
5 g d'ail, thym, laurier, girofle
Poivre concassé, sel, huile,
vinaigrette moutardée
1 bouteille de pinot noir

1. Dans une cocotte, faire colorer sur toutes ses faces le jarret ficelé et assaisonné.
2. Ajouter les légumes, les aromates et le vin.
3. Couvrir et cuire à four chaud pendant 1 h 30.
4. Servir la viande en grosses tranches arrosée de son jus de cuisson, qui a été réduit ; servir les légumes coupés en tranches et relevés de vinaigrette.

30 mn avant la fin de la cuisson, il est possible d'ajouter dans la cocotte de gros quartiers de pommes de terre.

Crépinette de lièvre sauce raifort

MARCHÉ POUR 4 PERSONNES

Farce

300 g de farce de porc
400 g de lièvre désossé et mariné
3 échalotes émincées et fondues au beurre
2 œufs, sel, poivre
1 crépine de porc

800 g de navets salés
4 pommes de terre, 1 oignon émincé
1 échalote hachée
2 gousses d'ail écrasées
200 g de poitrine de lard fumé
20 cl de crème fraîche
1 bouteille de vin blanc
Raifort

1. Mélanger soigneusement les éléments de la farce. Mettre en petites boules, entourées de crépines et que l'on fera rôtir au four.
2. Dans une cocotte, faire revenir l'oignon dans du beurre ou de la graisse d'oie ; y mettre une couche de navets salés, la poitrine fumée et, au-dessus, le reste des navets. Ajouter l'ail, 1/2 bouteille de vin blanc ; assaisonner ; mettre à cuire au four pendant 2 h. Ajouter les pommes de terre et laisser la cuisson se terminer.
3. Préparer la sauce en faisant réduire sans graisse le reste du vin blanc et l'échalote. Ajouter la crème, faire bouillir. Hors du feu, en fouettant vivement, ajouter le raifort.
4. Servir chaud les crépinettes, accompagnées des légumes et de la sauce au raifort.

Les recettes familiales de Georges Blanc

*

Trois étoiles au guide Michelin
19,5 au Gault et Millau
Quatre étoiles au Bottin gourmand

*

01540 VONNAS
TÉL. : 74 50 00 10

Les endives au jambon « comme faisait ma mère »

Parer et laver les endives en évitant de les laisser tremper trop longtemps dans l'eau.
Les disposer dans le fond d'une casserole bien beurrée.
Saler, poivrer. Ajouter le jus d'1/2 citron et de l'eau à mi-hauteur.
Cuire à couvert environ 45 mn, départ rapide, allure plus modérée ensuite.
En fin de cuisson les égoutter sur une grille.

Préparer une béchamel bien parfumée d'aromates. Utiliser un peu de l'eau de cuisson des endives avec le lait pour la mouiller.

Dans un plat à gratin, ranger côte à côte chaque endive préalablement roulée dans une tranche d'excellent jambon. Ajouter un peu de crème fraîche à la béchamel pour ajuster sa consistance. Rectifier l'assaisonnement et napper les endives au jambon. Saupoudrer de gruyère râpé à volonté. Mettre à gratiner au four.

Gâteau à l'orange grand-mère Blanc

MARCHÉ POUR 4 PERSONNES

150 g de beurre	***115 g de farine***
150 g de sucre	***Fruits confits***
2 oranges moyennes	***115 g de sucre glace***
2 œufs	***(pour garnir le gâteau)***
1/2 paquet de levure chimique	***Kirsch***

Éplucher très légèrement les oranges. Ne prendre que le zeste. Hacher très fin. Mettre de côté.
Faire fondre le beurre à consistance de crème. Mélanger avec le sucre en poudre en tournant jusqu'à ce que la pâte soit bien lisse. Ajouter le jus d'une orange pressée et passée. Ajouter un œuf puis le deuxième, farine et levure chimique.
Bien travailler la pâte et mélanger en dernier le zeste haché. Garder une cuillerée pour garnir.
Beurrer un moule à tarte à bord droit. Saupoudrer de farine. Verser la pâte et mettre à four chaud, four modéré pour finir. Cuisson 20 mn.
Délayer le sucre glace avec la moitié d'un jus d'orange, une cuillère à bouche de kirsch.
Lorsque le gâteau est un peu refroidi, démouler et glacer le dessus du gâteau avec ce mélange.
Terminer en saupoudrant avec le reste du zeste et mettre des fruits confits à volonté.

Mon conseil

Servir éventuellement avec une crème anglaise glacée.
On peut aussi décorer ce gâteau avec des fruits confits.

Les recettes beaujolaises de Jean Ducloux

*

Deux étoiles au guide Michelin
16 au Gault et Millau
Deux étoiles au Bottin gourmand

*

1, RUE ALBERT-THIBAUDET
71700 TOURNUS
TÉL. : 85 51 13 52

La sauce au vin

Pour faire une sauce au vin rouge, il ne s'agit pas de faire bouillir du vin... Il faut acheter des carcasses de volailles coupées en petits morceaux. Les faire colorer avec carottes et oignons. Fariner *légèrement,* mouiller avec un bon vin rouge 13° et un peu d'eau. Ajouter une pincée de poivre concassé, un bouquet garni et une demi-tête d'ail.
On fait cuire cette sauce doucement trois quarts d'heure, on la passe au chinois et elle sert pour les trois plats suivants.

Les œufs en meurette

Prendre une petite casserole avec 1 l d'eau et 1/2 verre de vinaigre, sel et poivre.

Pocher vos œufs dedans et laisser cuire 3 mn 30. Les égoutter, enlever les bavures. Les mettre sur des croûtons grillés au beurre et napper de la sauce, préparée comme il est dit ci-dessus. Ajouter quelques petits champignons, lardons et petits oignons.

La matelote de carpe

Lever la carpe en filets. Les escaloper, saler, poivrer.
Mettre les filets dans un plat beurré allant au four, avec une pincée d'échalotes, de champignons crus émincés et mouiller au vin rouge à demi-hauteur. Couvrir d'un papier alu *pas entièrement.* Cuire 10 mn.

Mettre les filets sur un plat de service. Laisser réduire la sauce du tiers et ajouter une louche de sauce au vin rouge. Napper les filets et garnir de petits croûtons grillés au beurre et aillés.

Entrecôte marchand de vin

Prendre de belles entrecôtes ou du faux filet. Saler, poivrer de poivre concassé. Les faire cuire (dans un sautoir ou plat, mais jamais à la poêle). Les mettre sur un plat.
Enlever un peu du beurre qui a cuit. Mettre une pincée d'échalotes hachées, faites colorer et déglacer d'un verre de bon vin rouge. Laisser réduire du tiers et ajouter une louche de « sauce vin rouge ». Nappez les entrecôtes et servir.
Il est possible de les garnir au départ de quelques rondelles de moelle mises à cuire quelques minutes à l'eau salée.

Quiche lorraine à ma façon

MARCHÉ POUR 6 PERSONNES

200 g de lardons fumés	**Pour la pâte**
5 gros œufs	***150 g de farine***
1/2 l de lait	***80 g de beurre***
1/2 l de crème épaisse aigre	***1 pincée de sel***
Sel, poivre du moulin	***1 dl d'eau***

1. Préparation de la pâte :
Farine, beurre en pommade, sel, eau : mélanger le tout de manière à obtenir un mélange bien homogène. Laisser reposer 2 h au frais.
2. Abaisser la pâte de 3 à 5 mm d'épaisseur et mouler un cercle à tarte de 30 cm. Précuire une bonne dizaine de minutes à 200°.

3. Sur le fond de tarte disposer les lardons finement coupés. Mélanger le lait, la crème aigre, les œufs. Saler, poivrer et verser sur la tarte. Mettre à cuire 20 à 30 mn à four chaud (180°). Servir.

Jarret de veau à la crème

MARCHÉ POUR 4 PERSONNES

4 belles tranches de jarret de veau avec os
50 g d'oignons en brunoise
50 g de navets en brunoise
50 g de carottes en brunoise
50 g de poireaux en brunoise
50 g de beurre

Pour la sauce

100 g de champignons de Paris
50 g d'échalotes
1/2 tomate
1 verre de vin blanc
2 verres de fond blanc de volaille
1/2 l de crème
1 branche de thym
Sel, poivre du moulin
50 g de beurre

1. Éplucher et préparer les légumes.
2. Dans une casserole : les champignons et les échalotes émincés, le thym, la tomate, le verre de vin blanc, et faire réduire de deux tiers. Ajouter les 2 verres de fond de volaille et réduire à nouveau de moitié. Ajouter la crème et cuire 15 mn. Saler, poivrer, passer dans un chinois étaminé.
3. Dans une casserole épaisse avec de l'huile et 30 g de beurre, faire colorer les tranches de jarret, préalablement farinées. Une fois l'opération terminée, ajouter les brunoises de légumes, puis la sauce, et laisser cuire doucement 25 mn.
4. Retirer le jarret dans un plat. Ajouter les 50 g de beurre dans la sauce. Rectifier l'assaisonnement et napper la viande.

Les recettes « sur le pouce » de Pierre Gagnaire

*

Deux étoiles au guide Michelin
19 au Gault et Millau
Deux étoiles au Bottin gourmand

*

3, RUE GEORGES-TESSIER
42000 SAINT-ÉTIENNE
TÉL. : 77 37 57 93

Salade de pommes de terre au curry, aux oignons et aux noix

Blanchir longuement les pommes de terre. Pendant ce temps, à la graisse de canard, faire griller les rondelles d'oignons.
Décortiquer une bonne poignée de noix fraîches. Finir la cuisson des pommes de terre à la poêle avec les oignons. Ajouter les noix, la pincée de curry.
Déglacer la poêle largement au vin blanc, faire bouillir brièvement le jus. Un bon hachis d'herbes fraîches.
Servir le tout tel quel, après l'avoir laissé reposer 2 h.

Poulet rôti aux tomates et à la sauge

Rôtir le poulet au four ou à la broche.
Préparer une concassée de tomates en écrasant 8 tomates bien mûres, quelques feuilles de sauge ; en ajoutant une pincée de sucre, un trait de vinaigre et quelques échalotes grises, grossièrement hachées.
Terminer la cuisson du poulet dans une casserole épaisse et en y ajoutant la concassée de tomates. Cuire à couvert.

Les recettes montagnardes de Jean-Claude Ferrero

*

Une étoile au guide Michelin
16 au Gault et Millau
Deux étoiles au Bottin gourmand

*

Truites de torrent aux choux braisés

MARCHÉ POUR 6 PERSONNES

6 truites vidées, lavées
1 beau chou
2 carottes coupées en rondelles épaisses
2 oignons piqués de 6 clous de girofle chacun
Sel, poivre, muscade râpée, bouquet garni
4 dl d'eau
3 cuillères de beurre ou de graisse d'oie
500 g de bardes de lard

1. Couper le chou en huit morceaux, le blanchir, le rafraîchir, bien l'égoutter. Effeuiller les morceaux, en retirer les côtes.
2. Dans une cocotte en fonte, garnir le fond de bandes de lard ; mettre dessus le chou, les carottes, oignons, bouquet garni ; ajouter l'eau et la matière grasse, sel, poivre, muscade râpée. Couvrir avec le reste des bardes de lard. Faire bouillir 5 mn et laisser braiser doucement à feu très doux pendant 2 h environ.
3. 15 mn avant la fin, disposer les truites sur le dessus du chou, après les avoir salées et poivrées à l'intérieur.
4. Servir dans la cocotte.

Ce plat unique est souvent servi les soirs d'hiver, dans les vallées alpines.

Tourte aux pommes de terre

MARCHÉ POUR 6 PERSONNES

Pour la pâte
250 g de farine, 100 g de beurre
25 g de crème fraîche
5 g de sel
2 jaunes d'œuf
2 dl d'eau froide

6 pommes de terre épluchées et coupées en quartiers
3 tranches de petit salé, épaisses d'un doigt et coupées en dés
Sel, poivre, muscade râpée, un brin de romarin, 3 grains de genièvre

1. Faire blanchir les dés de lard et les quartiers de pommes de terre.
2. Étaler la moitié de la pâte dans la tourtière.
3. Mélanger dans un saladier les pommes de terre, le petit salé, la crème, les œufs, le genièvre ; saler, poivrer, mettre la muscade.
4. Remplir la tourtière de cette préparation.
5. Disposer dessus le brin de romarin et fermer la tourtière avec la pâte restante, en mouillant les bords de façon à souder la pâte.
6. Rayer le dessous avec une fourchette, faire une entaille dans la tourte pour que la vapeur s'en échappe durant la cuisson.
7. Cuire au four, à chaleur moyenne (170°), pendant trois quarts d'heure environ.

Ce plat se mange très chaud, servi avec une salade.

Les recettes marseillaises de Gérald Passédat

*

Deux étoiles au guide Michelin
16 au Gault et Millau
Trois étoiles au Bottin gourmand

*

LE PETIT NICE
ANSE DE MALDORNÉ
CORNICHE KENNEDY
13007 MARSEILLE
TÉL. : 91 52 14 39

Soupe au pistou

Elle nécessite une longue préparation, mais une fois prête on peut la manger en premier service, chaude, puis la consommer froide, et elle n'est que meilleure.
Toutes les saveurs des légumes du jardin s'y mélangent et l'arôme du basilic excite l'appétit.

MARCHÉ POUR 4 PERSONNES

1 chou vert tendre
5 pommes de terre épluchées
2 lobes de fenouil
1 aubergine
2 courgettes
1 poignée de haricots verts
6 tomates bien mûres
1 bouquet de persil
2 navets
1 pied de céleri
3 cœurs d'artichauts violets
Gros sel mignonnette
1 poignée de haricots blancs préalablement cuits

Pistou

10 gousses d'ail
1 bouquet de basilic
Huile d'olive vierge extra
Parmesan râpé

Dans un grand rondeau, faire suer tous les légumes coupés en morceaux à l'huile d'olive. Mouiller à hauteur avec de l'eau et laisser cuire tous ces légumes.
Assaisonner. Pendant la cuisson, faire le pistou.
Éplucher l'ail et l'écraser dans un mortier avec le basilic. Râper 50 g de bon parmesan et monter avec l'huile d'olive comme une mayonnaise.
Après cuisson de la soupe, passer au presse-purée et incorporer le pistou.
Laisser infuser un quart d'heure et servir en ajoutant quelques dés de tomate et julienne de basilic.

Crème de tomate aux chèvres chauds

Une entrée rapide pour les déjeuners sur le pouce.

POUR 4 PERSONNES

1 kg de tomates mûres	***1 bouquet de basilic***
1 dl de vinaigre de xérès	***1 jus de citron***
Gros sel mignonnette	***2 petits fromages de chèvre coupés en quatre***

Monder et épépiner les tomates. Passer au mixer et les monter avec du vinaigre, jus de citron, sel et poivre, et basilic. Conserver au froid.

Cuire les fromages de chèvre au four.

Dans une assiette creuse, dresser les fromages chauds et napper de la crème de tomate bien rouge et glacée.

Succès assuré si la matière première est d'excellente qualité.

Le foie de canard à la cuillère

MARCHÉ POUR 4 À 6 PERSONNES

250 g de lard gras sans viande
320 g de foie de canard (non gras)
12 g de sel
4 g de poivre
1 pointe de quatre-épices
25 cl de crème fraîche double
3 cl d'armagnac
4 jaunes d'œufs

1. Broyer le lard gras au mixer, y ajouter les foies de canard, sel, poivre et quatre-épices. Amener l'ensemble à consistance de pommade. Verser dessus crème, jaunes d'œufs et armagnac. Continuer de broyer jusqu'à ce que la pommade devienne liquide, soit environ 30 s.
2. Passer ce mélange au travers du chinois et le verser dans le plat en terre.
3. Mettre celui-ci dans le bain-marie, recouvert d'un papier aluminium, à four moyen, préalablement chauffé (200° C — thermostat 6), pendant 30 mn.
4. Oter du four et laisser refroidir au frais jusqu'au lendemain et servir à la cuillère avec des tranches de pain de campagne grillées.

Les recettes naïves
de Michel Bras

*

Une étoile au guide Michelin
19 au Gault et Millau
Deux étoiles au Bottin gourmand

*

LOU MAZUC
12210 LAGUIOLE
TÉL. : 65 44 32 24

Le gargouillou de légumes nouveaux

Dans la tradition rouergate, le gargouillou était un ragoût de pommes de terre au bouillon et aux lardons. Je l'ai modernisé en utilisant les légumes nouveaux, printaniers. Je l'ai conçu comme un « plat à message » : celui qui annonce le retour des beaux jours et de la joie de vivre.

Prendre tous les légumes que le marché peut offrir à cette saison :

— épinards, verts et côtes de blette, poireaux, feuilles de choux, feuilles de Bruxelles, choux raves, brocoli, céleri, buco, asperges, pois mange-tout, saint-fiacre, courgettes...
— ail, oignons, échalote...
— carottes, navets, raves, choux raves, radis, betterave.

Les légumes-feuilles et les légumes à bulbes seront triés, nettoyés, détaillés. Quant aux légumes racines, il sera préférable de les éplucher au couteau, tout en laissant un bouquet raccourci de leurs fanes. Tailler ces légumes à la mandoline (dans le sens de la longueur sur une épaisseur de 4 mm).

Les cuire à l'eau bouillante très salée, le temps nécessaire pour les obtenir fermes à souhait sans excès. Les rafraîchir et les égoutter.

Dans une poêle, rissoler des tranches de jambon de campagne. Dégraisser et déglacer avec un peu de bouillon de légumes. Joindre une noix de beurre au jus de jambon. Y rouler et chauffer les légumes. Au dernier moment, y ajouter des pluches d'herbes fines (estragon, ciboulette, cerfeuil...) et servir bien chaud.

Un plat pour le plaisir des yeux, de la bouche et du nez.

Petites Gourmandises au retour d'une promenade

Mousserons à l'huile et au verjus.

Au retour d'une cueillette, faire macérer pendant quelques instants les mousserons la tête en bas dans un mélange d'huile, d'eau, d'herbes fines (persil, ciboulette, ache, estragon)..., de sel et de poivre et de verjus (jus de raisins cueillis verts).
Pour le plaisir, attraper les mousserons par la queue et n'en croquer que la tête. Et avec un saucisson « quiou lar », quel régal !

Tartine de brioche à la peau de lait et au chocolat noir.

Sur des tranches de brioche tiède, étaler une épaisse couche de lait (obtenue en faisant bouillir celui-ci). Y râper du chocolat noir.
A grignoter dans l'intimité autour d'une cheminée avec un bol de chocolat fumant. Un chocolat préparé avec du cacao et un soupçon de sel.

Les recettes quercynoises de Lucien Vanel

*

Deux étoiles au guide Michelin
17 au Gault et Millau
Trois étoiles au Bottin gourmand

*

22, RUE MAURICE-FONTVIEILLE
31000 TOULOUSE
TÉL. : 61 21 51 82

La falette avec l'estouffade des sept légumes

POUR 6 PERSONNES

1. Faire désosser 1 kg de poitrine de veau. Dans la poche ainsi obtenue, semer quelques grains de gros sel, quelques zestes d'orange ; tenir au frais pendant 24 h.
2. Composer une farce avec un peu de gras de veau, récupéré dans la poitrine, 100 g de lard gras, 1 tranche de pain rassis et ramolli à l'eau chaude, 2 foies de volaille et 2 gousses d'ail, dont on aura détruit le germe. Ajouter sel, poivre, 2 œufs, 1 cuillère à soupe de ciboulette et de crème fraîche. Laisser reposer au frais pendant quelques heures.
3. Étaler la farce sur la falette et rouler celle-ci tel un biscuit roulé. Ficeler soigneusement.
4. Graisser légèrement une cocotte en fonte ; y faire fondre quelques dés de lard. Faire dorer la falette sur toutes ses faces. Ajouter les os retirés de la poitrine, 2 oignons, 2 carottes émincées et des morceaux de côte de céleri.
5. Couvrir et cuire pendant 40 mn. Ajouter 2 tomates épluchées et épépinées, 2 gousses d'ail, 1 côte de fenouil et une douzaine de petites pommes de terre entières et épluchées. Continuer la cuisson pendant 30 mn.
6. Trancher la falette et la servir entourée de l'estouffade de légumes.

Les perdreaux en vessie

1. Choisir des perdreaux juste tués. Les plumer, les vider.
2. Préparer une farce fine avec de la poitrine de porc, le foie des perdreaux, du pain de campagne rassis, 1 ou 2 œufs, de l'ail, du sel et du poivre. Y ajouter de gros dés de foie gras de canard.
3. Farcir les perdreaux ; les ficeler et les placer individuellement dans une vessie de porc, achetée chez le charcutier, bien nettoyée. Mettre dans la vessie une pincée de sel, un trait de cognac et de porto.
4. Bien fermer la vessie et la faire cuire dans un bouillon de volaille pendant 15 mn. Laisser refroidir dans le bouillon et conserver au frais pendant au moins 24 h.
5. Servir 1/2 perdreau par convive.
6. Accompagner d'une salade d'artichauts à l'huile de noix.

La pescajoune

Tout simplement, une crêpe épaisse, cuite à la poêle à tout petit feu, jusqu'à ce qu'elle soit bien dorée des deux côtés.

Pâte classique : 100 g de farine ; 1/4 l de lait ; 1 cuillère à soupe de crème fraîche ; 2 œufs ; sel.

La pescajoune était accompagnée dans le temps de fromage blanc battu, de fruits cuits et surtout d'une salade croquante.

Les recettes-surprises
d'André Daguin

*

Deux étoiles au guide Michelin
17 au Gault et Millau
Trois étoiles au Bottin gourmand

*

PLACE DE LA LIBÉRATION
32000 AUCH
TÉL. : 62 05 00 44

Soupe de lentilles aux peaux de canard

MARCHÉ

200 g de couenne de lard, bouillie puis hachée	***18 oignons nouveaux***
Peau de canard gras	***600 g de lentilles trempées pendant 6 h***
20 dés de jambon	***50 cl de crème fraîche***

1. Commencer dans une cocotte un ragoût de lentilles en faisant revenir les petits oignons, les dés de jambon et la couenne, pendant 10 mn à feu doux.
2. Y jeter les lentilles, mélanger et mouiller avec un bouillon de viande, de façon que le liquide dépasse un peu les lentilles. Les lentilles seront cuites quand elles céderont à la pression du doigt.
3. Pendant leur cuisson, détailler la peau du canard en petits cubes ; les faire sauter dans une poêle épaisse jusqu'à coloration ; les égoutter.
4. Mixer le potage. Incorporer la crème à la soupe. Remplir la soupière et disposer les peaux de canard à la surface du liquide.

Poitrine de porc à l'impromptu

Il faut 200 g de poitrine de porc fraîche par personne. La couper en petits cubes. Saler, poivrer, saupoudrer d'un peu de sucre et arroser de vinaigre de xérès.
Mettre 30 mn au four à 160°. Manger du bout des doigts.

Poulet glacé au citron

Prévoir 1/4 de poulet par personne. Le détailler en tout petits morceaux sans le désosser.
Saler, sucrer, poivrer, arroser d'un jus de citron.
Cuire au four 30 mn.

Les recettes gasconnes
de Marie-Claude Gracia

*

Une étoile au guide Michelin
16 au Gault et Millau
Deux étoiles au Bottin gourmand

*

A LA BELLE GASCONNE
POUDENAS
47170 MÉZIN
TÉL. : 53 65 71 58

La daube de la Saint-André

POUR 6 PERSONNES

1. La veille, faire mariner dans un bon vin rouge 1 kg 1/2 de viande de bœuf, choisi dans la macreuse, le collier et la culotte, et découpé en morceaux d'une cinquantaine de grammes. Ajouter 2 carottes coupées en rondelles, 2 oignons tranchés et 1 bouquet garni.
2. Le lendemain matin, tapisser entièrement les flancs d'une cocotte avec des couennes de lard bien épaisses.
3. Sortir les morceaux de bœuf de la marinade ; débarrasser celle-ci des légumes.
4. Sur le fond de la cocotte tapissée, déposer une couche de viande, saler, poivrer. Puis une couche d'un hachis d'ail, d'échalotes et de persil. Puis une autre couche de viande et de hachis. Ainsi de suite. Couvrir avec le vin de la marinade. Faire un couvercle de couennes. Couvrir la cocotte.
5. Laisser monter à ébullition. Puis faire mijoter à feu très, très doux pendant *au moins* 6 h.
6. Manger la daube, le lendemain, après l'avoir réchauffée. Le surlendemain, elle est encore meilleure.

Flans à la verveine comme maman

MARCHÉ POUR 4 PERSONNES

1 l de lait
250 g de sucre
6 œufs entiers
15 feuilles de verveine, de préférence fraîche
2 gousses de vanille

1. Faire bouillir le lait avec la vanille et le sucre.
2. Hors du feu, mettre à infuser les feuilles de verveine dans le lait chaud. Couvrir pendant 10 mn.
3. Pendant ce temps, battre les œufs entiers. Préparer les petits pots, pour cuire les flans, et la plaque du bain-marie. Chauffer le four à 140°.
4. Enlever du lait la verveine. En fouettant, verser le lait dans les œufs. Mélanger et verser dans les pots. Placer une feuille non utilisée de verveine sur chaque pot.
5. Cuire doucement, au bain-marie et dans le four, pendant 40 mn. Les flans doivent être d'un jaune d'or brillant, et la feuille de verveine, comme confite dans la crème.

La recette angevine de Michel Augereau

*

Une étoile au guide Michelin
16 au Gault et Millau
Deux étoiles au Bottin gourmand

*

JEANNE DE LAVAL
49350 LES ROSIERS
TÉL. : 41 51 80 17

Poularde à ma façon

MARCHÉ POUR 4 PERSONNES

1 beau poulet de Loué
100 g de beurre
150 g de champignons frais
1 verre de vin blanc sec
3 échalotes, 1 gousse d'ail
1 bouquet garni au thym
1 cuillère à bouche d'huile
20 petits oignons dits grelots
1 belle branche d'estragon frais
1 tomate concassée fine

1. Découper la volaille en huit morceaux, faire dorer ces morceaux avec 50 g de beurre et la cuillère d'huile à coloration blonde en ménageant les suprêmes.
2. Cuire à couvert pendant 20 mn. Retirer les morceaux dans le plat de service.
3. Retirer le beurre de cuisson. Ajouter les échalotes hachées, la tomate concassée, la pointe d'ail. Ajouter une noix de beurre. Cuire quelques instants. Déglacer le plat de cuisson au vin blanc sec. Réduire.
4. Monter la sauce sur le côté du fourneau avec le reste du beurre. Ajouter l'estragon haché.
5. Cuire à l'étuvée les petits oignons et les champignons.
6. Dresser le tout en garniture autour de la volaille.

Les recettes bretonnes de Guy Guilloux

*

Une étoile au guide Michelin
14 au Gault et Millau
Une étoile au Bottin gourmand

*

LA TAUPINIÈRE
ROUTE DE CONCARNEAU
29123 PONT-AVEN
TÉL. : 98 06 03 12

Soupe de moules au potiron

MARCHÉ POUR 4 PERSONNES

1 kg de moules
6 échalotes
2 carottes
1 blanc de poireau
250 g de potiron
50 g de champignons de Paris
20 cl de crème fraîche
1 verre de muscadet
Thym

1. Hacher en petits dés 3 échalotes, carottes, le poireau et les champignons. Hacher en plus gros morceaux le potiron.
2. Dans une casserole, faire fondre une noix de beurre, ajouter les légumes, les faire suer doucement, les couvrir d'1 l d'eau, laisser cuire 10 mn.
3. Nettoyer les moules, les cuire avec le muscadet, les 3 autres échalotes hachées et le thym. Rajouter 1 verre d'eau.
4. Les moules étant ouvertes, les retirer de leurs coquilles, les mettre de côté. Filtrer le jus de cuisson des moules, le verser dans le bouillon de légumes ; laisser cuire 10 mn.
5. Mixer le tout, légumes et bouillon ; le tamiser dans une casserole ; y mettre la crème ; amener à ébullition ; assaisonner.
6. Au fond d'une soupière, mettre les moules décortiquées ; verser dessus la soupe bien chaude et servir aussitôt.

Le far aux pommes reinettes rôties

MARCHÉ POUR 4 PERSONNES

200 g de farine
150 g de sucre
1 pincée de sel
5 œufs

1 l de lait entier
20 g de beurre
1 verre de lambig (eau-de-vie de cidre)
Pommes

1. Dans une jatte, mettre la farine, y faire un trou, y mettre le sucre, les œufs, le sel. Pétrir à la main.
2. Délayer lentement la pâte avec le lait tiédi dans lequel on aura fait fondre le beurre et mis un trait de lambig.
3. Dans une poêle mettre 1 noix de beurre ; glisser les pommes coupées en quartiers ; les saupoudrer de sucre et de 2 pincées de sucre vanillé ; bien les faire revenir ; les caraméliser légèrement ; flamber au lambig.
4. Mettre les pommes au fond d'un moule en terre largement beurré, y verser la pâte.
5. Cuire à four très chaud pendant 10 mn, puis terminer le far à four moyen.

Les recettes normandes
de Mme Engel l'Alsacienne

*

16 au Gault et Millau
Une étoile au Bottin gourmand

*

Moules au cidre

MARCHÉ POUR 2 PERSONNES

1 kg de moules grattées, lavées, ouvertes à sec	***30 cl de cidre sec, bouché*** ***20 cl de crème fraîche***

1. Faire réduire ensemble le cidre et la crème fraîche jusqu'à ce qu'il en reste 25 cl.
2. Partager les moules dans deux timbales allant au four.
3. Verser la sauce sur les moules en ayant soin de bien les en recouvrir.
4. Passer quelques instants au four. Mettre un peu de ciboulette.

La réduction de cidre et de crème peut servir également à napper un filet de poisson poêlé. Ou encore à réchauffer une tranche de jambon blanc, légèrement fumé et servi avec des pommes de terre sautées, ce qui est un vrai régal.

Blanquette de soles aux pommes

POUR 2 PERSONNES

1. Choisir une sole de 800 g ; en faire lever les filets.
2. Faire un petit jus en se servant de l'arête, d'1 verre de vin blanc, d'1 carotte, d'1 oignon, d'1 feuille de laurier, d'1 brin de persil et de quelques champignons de Paris. Laisser frémir le jus pendant 20 mn en l'écumant de temps à autre. Le passer au chinois.

3. Dans un peu de beurre, faire revenir doucement les filets de sole coupés en quatre et légèrement en biais.
4. Sortir les filets de la poêle, avant qu'ils ne soient cuits tout à fait, et les poser sur une assiette.
5. Dans la poêle, qui a été déglacée avec quelques gouttes de calvados, rajouter le petit jus, fort réduit, plus un verre de crème fraîche ; laisser réduire de nouveau avant d'y mettre les filets de sole. Faire bouillir pendant quelques secondes.
6. Cuire des quartiers de pommes, à part et au beurre.
7. Poser les filets de sole sur deux assiettes bien chaudes ; napper de sauce ; garnir des quartiers de pommes.

Soufflé aux pommes

MARCHÉ POUR 2 PERSONNES

2 ou 3 pommes
1 bouteille de cidre doux
100 g de sucre
1 petit verre de calvados
2 jaunes d'œufs
4 blancs d'œufs battus en neige

1. Laisser cuire le cidre et le sucre ensemble pendant quelques instants.
2. Y mettre les 2 pommes épluchées et coupées en quatre ; laisser cuire.
3. Passer les pommes au mixer avec le calvados et les jaunes d'œufs.
4. Incorporer les blancs en neige.
5. Mettre dans un plat à soufflé et cuire une dizaine de minutes au four à 220°.
6. Décorer de sucre glace et manger.

Les recettes normandes de Michel Bruneau

*

Une étoile au guide Michelin
16 au Gault et Millau
Une étoile au Bottin gourmand

*

15, RUE DU VAUGUEUX
14000 CAEN
TÉL. : 31 93 50 76

Saint-Jacques aux endives et aux reinettes

MARCHÉ POUR 4 PERSONNES

24 coquilles saint-jacques nettoyées et lavées
3 belles endives
2 reinettes épluchées et vidées de leurs pépins
2 cuillères à soupe de sucre poudre
1 citron vert
10 cl de cidre
6 cuillères à soupe de crème épaisse
Beurre, sel, poivre au moulin
1 cuillère de ciboulette ciselée

1. Escaloper en deux les coquilles. Les mettre dans du lait un quart d'heure à mariner.
2. Pendant ce temps, éplucher les endives sans les laver. Les émincer très fin en prenant soin d'enlever la tête et la queue sur 1 cm environ. Faire sauter au beurre les endives et les pommes coupées en dés (petits) en ajoutant le sucre, le sel, le poivre et le jus d'un demi-citron vert. Laisser colorer très légèrement. Remplir le fond de cassolettes de ces endives et de ces pommes.
3. Faire revenir au beurre les saint-jacques égouttées et épongées avec une serviette. Les cuire d'un seul côté et les disposer face colorée au-dessus sur vos endives (12 moitiés par personne).
4. Dégraisser la poêle ayant servi à cuire les saint-jacques, la mouiller du cidre et du demi-jus de citron restant. Réduire à sec, laisser refroidir et ajouter votre crème. Réduire afin qu'elle épaississe.
5. Pendant ce temps, réchauffer les cassolettes d'endives et de saint-jacques juste pour les chauffer. Attention à ne pas les cuire. Saler, poivrer la sauce à votre goût et napper les coquilles de cette sauce.
6. Parsemer de ciboulette ciselée. Servir bien chaud.

Pavé de turbot au cidre

MARCHÉ POUR 4 PERSONNES

4 morceaux (filets) de turbot de côte épais de 150 g sans peau	***Beurre, sel, poivre***
12 poireaux plutôt petits	***1 verre de 50 cl de cidre***
1 bouquet de persil simple (très important : surtout pas de persil frisé)	***400 g de crème fermière***

1. Mettre le beurre à blondir dans la sauteuse. Colorer les 4 morceaux de turbot côté de la peau et de ce seul côté. Une fois bien coloré, retirer et réserver les 4 morceaux de poisson à part.
2. Disposer au fond de la sauteuse le persil mis en pluches (les feuilles sans les tiges) et les blancs de poireaux lavés et coupés en morceaux de 1 cm environ. Laisser revenir au beurre 2 mn (feu doux). Ensuite mouiller avec les 50 cl de cidre. Laisser cuire jusqu'à réduction complète du cidre (il faut que le jus restant au fond soit une sorte de sirop épais).
3. Disposer les 4 morceaux de turbot, le côté coloré sur le dessus. Saler, poivrer. Verser la crème fraîche sur les poissons. Saler et poivrer à nouveau et disposer au four 10 à 15 mn environ à 250° jusqu'à obtenir une belle coloration du plat. Servir très chaud.

Le turbot peut être remplacé par un autre poisson : saint-pierre, sole, lotte, julienne (réduire seulement le temps de cuisson. Toute la réussite de cette recette réside dans la cuisson, alors cuire plutôt un peu moins qu'un peu plus).

Mignon de veau au chou et au saucisson

MARCHÉ POUR 4 PERSONNES

1 filet de veau de 600 g environ
1 gros chou nouveau
1 carotte
2 échalotes
20 cl de pommeau (apéritif à base de pomme, équivalent du pineau charentais)
1 saucisson cru
Deux fois 20 g de beurre demi-sel
Sel, poivre au moulin
Pluches de cerfeuil

1. Dans une cocotte en fonte, faire colorer le filet de veau dans le beurre sur toutes ses faces.
2. Ajouter autour la carotte coupée en rondelles, les échalotes émincées, les feuilles de chou lavées et émincées grossièrement (ne pas omettre d'enlever les grosses côtes) et, sur le tout, le saucisson cru entier et le pommeau. Laisser réduire encore 5 mn (couvercle enlevé). Ajouter ensuite un verre d'eau, saler, poivrer, recouvrir et laisser cuire 25 à 30 mn tout doucement.
3. Disposer dans le fond des assiettes le chou, le veau coupé en tranches, le saucisson en tranches épaisses. Napper de la sauce à laquelle a été incorporé au dernier moment le beurre restant, tout en remuant la cocotte.
4. Parsemer de pluches de cerfeuil.
5. Servir chaud.

Sorbet au calvados

MARCHÉ

1/4 l de sirop (autant de sucre que d'eau) *10 cl de calvados bouilli préalablement* *Le jus d'1/2 citron*	*10 cl de jus de pomme* *1 cuillère de crème* *1 cuillère de cidre sec*

Mettre dans la sorbetière le sirop, le jus de citron, le calvados chaud, le jus de pomme, la cuillère de cidre, et laisser prendre en froid.
Quand le sorbet est prêt, ajouter la cuillère de crème. Laisser encore 15 s et stopper, le sorbet est fini.
Attention, ce sorbet foisonne très peu, vous pouvez selon votre goût en modifier les proportions.

Les recettes flamandes
de Robert Bardot

*

Deux étoiles au guide Michelin
18 au Gault et Millau
Trois étoiles au Bottin gourmand

*

LE FLAMBARD
79, RUE D'ANGLETERRE
59000 LILLE
TÉL. : 20 51 00 06

Caquettes

1. Choisir de grosses pommes de terre ; les couper en deux dans le sens de la longueur. Donner quelques coups de couteau dans la pulpe. Assaisonner celle-ci de sel et poivre. Enfoncer des lamelles d'ail cru dans les fentes.
2. Avec une petite brochette de bois, reformer la pomme de terre. Faire cuire au four dans un plat dont le fond sera garni d'un lit de gros sel.

Pommes à la Dunkerquoise

1. Faire cuire à moitié des pommes de terre, de grosseur moyenne, épluchées à l'eau salée. Ces pommes de terre demi-cuites seront mises à refroidir.
2. Froides, elles seront plongées dans une friture d'huile très chaude. Les égoutter dès qu'elles sont bien dorées et croustillantes. Les servir légèrement saupoudrées de sel fin.

Carbonnades de poissons

1. Acheter des filets de cabillaud, colin, églefin ou autres gros poissons. Les assaisonner et les fariner. Les passer vivement dans la graisse rendue par de fines tranches de lard sautées dans la poêle.

2. Dans une cocotte, faire revenir des oignons émincés finement. Disposer les filets de poissons. Recouvrir avec les tranches de lard rissolées. Ajouter de l'ail et du persil hachés, saler et poivrer.
3. Mouiller, à peine de hauteur, de bière blonde. Ajouter thym et laurier, grains de genièvre et enfin une tranche de pain rassis, badigeonnée de moutarde. Couvrir et faire cuire à four modéré pendant 1/2 h. Si besoin, ajouter des pommes de terre émincées grossièrement.

Waterzoï de poulet

1. Préparer un bon 1/2 l de bouillon avec les abattis du poulet et les aromates suivants : carottes, poireaux, oignons, céleri, thym et laurier, sel, poivre.
2. Faire revenir dans une cocotte, avec du beurre, une julienne de poireau et de céleri. Ne pas laisser colorer. Ajouter du persil concassé. Découper le poulet en morceaux et les disposer sur les légumes. Mouiller avec le bouillon d'abattis et laisser cuire pendant 1 h à 1 h 30.
3. Dans une grande soupière, mettre 4 œufs battus en omelette ; incorporer 1 ou 2 dl de crème fraîche.
4. Verser le contenu de la cocotte dans la soupière, avec précaution. Remuer tout doucement pour que le mélange bouillon-liaison se fasse intimement. Servir aussitôt.

Table

COLLECTION « L'HISTOIRE IMMÉDIATE »
DIRIGÉE PAR JEAN-CLAUDE GUILLEBAUD

IMPRIMERIE AUBIN À LIGUGÉ
DÉPÔT LÉGAL : JUIN 1986. N° 9258 (L 21522).